ENCANTADORES
de VIDAS

EDUARDO MOREIRA

ENCANTADORES de VIDAS

10ª edição

EDITORA RECORD
RIO DE JANEIRO • SÃO PAULO
2012

CIP-BRASIL. CATALOGAÇÃO NA FONTE
SINDICATO NACIONAL DOS EDITORES DE LIVROS, RJ

M837e
Moreira, Eduardo
    Encantadores de vidas: Monty Roberts e Nuno Cobra / Eduardo Moreira
10ª ed. – 10ª ed. – Rio de Janeiro: Record, 2012.
    il.

ISBN 978-85-01-09934-1

1. Moreira, Eduardo – Biografia. 2. Roberts, Monty, 1935-. 3. Cobra, Nuno, 1938-. 4. Economistas – Brasil – Biografia. 5. Equitação. 6. Cavalo – Adestradores. 7. Equitação – Uso terapêutico. I. Título.

12-0427
CDD: 923.3
CDU: 929:330

Copyright © Eduardo Moreira, 2012

Projeto gráfico de capa e encarte: Leonardo Iaccarino
Foto da quarta capa: Polyana Velloso

Todos os direitos reservados. É proibido reproduzir, armazenar ou transmitir partes deste livro, através de quaisquer meios, sem prévia autorização por escrito.

Texto revisado segundo o novo Acordo Ortográfico da Língua Portuguesa.

Direitos exclusivos de publicação em língua portuguesa para o Brasil reservados pela
EDITORA RECORD LTDA.
Rua Argentina, 171 – Rio de Janeiro, RJ – 20921-380 – Tel.: 2585-2000

Impresso no Brasil

ISBN 978-85-01-09934-1

Seja um leitor preferencial Record.
Cadastre-se e receba informações sobre nossos lançamentos e nossas promoções.

EDITORA AFILIADA

Atendimento e venda direta ao leitor:
mdireto@record.com.br ou (21) 2585-2002

Dedico este livro ao meu filho Francisco,
que tem seu nome em homenagem ao
santo protetor dos animais.

"Se eles têm três carros, eu posso voar
Se eles rezam muito, eu já estou no céu
Mas louco é quem me diz
E não é feliz, não é feliz
Eu juro que é melhor
Não ser o normal
Se eu posso pensar que Deus sou eu..."

("Balada do louco", Arnaldo Baptista e Rita Lee)

Sumário

Prefácio de Monty Roberts   11
Prefácio de Nuno Cobra   19

I. Experiências
Meu primeiro tombo   25
O encontro com Monty Roberts   35
O encontro com Nuno Cobra e meu
    segundo tombo   43
A recuperação   51

II. A filosofia e os princípios de Monty Roberts e Nuno Cobra
Recompensa para as vitórias   61
Aprendizado incremental   68
A importância da saúde   76
Sincronismo   86
Nuno e o sincronismo   91
O respeito à individualidade   95
A confiança no método   103
Cafés com Nuno   110
Pragmatismo   114

O amor pelo ofício 122
A realização de Nuno 126
Perfeccionistas antes, otimistas durante,
  analistas depois 128
O *Join Up* 132
Os dois novamente 138
Histórias de *Join Up* 141
Meu filho e o *Join Up* 159
As pazes com a Loção do Piabanha 160
Minha primeira oitava 167
Trabalhar o corpo para chegar à mente 176

Conclusões 183
Apêndice — Cartas para Monty 193
Meu primeiro *Join Up* 195
A volta ao curso de Monty Roberts 201

Um certo Monty Roberts 205
Entrevista com Monty Roberts 213

Um certo Nuno Cobra 231
Entrevista com Nuno Cobra 235

Epílogo — O sucesso de *Encantadores de vidas* 255

Prefácio
de Monty Roberts

Agora que tive a sorte de chegar aos 70 anos, sinto que estou finalmente aprendendo do que trata a vida. Conforme o tempo passa, fica mais claro para mim que, ao concluirmos a vida aqui na Terra, devemos medi-la pelo nosso grau de satisfação com aquilo que conquistamos. Madre Teresa de Calcutá não ganhou dinheiro, não construiu arranha-céus, nem viajou em seu jatinho particular — mas, ainda assim, sinto que se foi muito satisfeita com a vida.

Donald Trump ganhou bilhões de dólares, construiu arranha-céus, viajou o mundo em seu jatinho, e hoje é uma das personalidades mais bem pagas da TV mundo afora. Nenhuma dessas conquistas esteve entre meus objetivos; entretanto, parece-me que Trump está bastante satisfeito com as conquistas que, ainda menino, traçou como seus objetivos. Quem, então, diria que seu tempo na Terra é menos importante do que daqueles que têm aspirações peculiares e diferentes das suas?

A maioria de nós se encaixaria em algum ponto entre a biografia de Madre Teresa e a de Donald Trump. Minha posição sempre foi ganhar o suficiente para manter meus sonhos vivos, mas também para tornar o mundo um lugar melhor do que aquele que encontrei.

Meus pais faziam parte do negócio de cavalos. Eles treinavam animais e possuíam uma escola de montaria com 250 alunos por semana. Tendo nascido nesse ambiente, rodeado por cavalos, dediquei toda a minha vida a satisfazer suas necessidades.

Essa vida foi abençoada de tal forma que constantemente sou levado a crer que deve existir um Deus no céu. Sua existência tem que ser verdadeira, senão, como tantas coisas boas poderiam acontecer a um mesmo ser humano? Enfrentei muitos desafios na vida, mas, sempre que minhas esperanças se esvaíam, algo de bom acontecia e me ajudava a manter vivos os meus sonhos. Essas experiências foram muito boas para serem apenas mera coincidência. Às vezes, penso que nenhum homem deve ter tido tanta sorte.

Em 2011, fui eleito Cidadão do Ano pela Associação Aeronáutica da Califórnia em virtude de meu trabalho com veteranos de guerra americanos. Três dias depois de receber esse título, a rainha Elizabeth II, da Inglaterra, me concedeu o título de Membro da Royal Victorian Order, reconhecendo meu trabalho para melhorar as condições do universo relacionado a cavalos de corrida.

*

Em seguida, Eduardo Moreira me pediu para escrever o prefácio deste seu livro, escrito em homenagem a mim e a Nuno Cobra.

Eduardo me disse que o livro se chamaria *Monty Roberts e Nuno Cobra: Encantadores de Vidas*. Como podem ver, fui homenageado três vezes em um mesmo mês e recebi títulos que muitas pessoas considerariam conquistas de toda uma vida.

Ainda tenho muito que fazer para atingir meus objetivos, mas posso sentir grande satisfação chegando sempre ao meu encontro conforme vou vivendo estes anos que encaro como o outono da minha vida.

*

Esta obra não é dedicada apenas a mim, mas também a Nuno Cobra, um profissional de quem não tinha ouvido falar antes de ler sobre ele. Parece que seu objetivo na vida sempre foi estimular, por meio de *coaching*, indivíduos que, a partir de seu treinamento, se tornariam importantes por aquilo que faziam.

Embora seu treinamento tenha sido responsável pelo sucesso dessas pessoas, Nuno Cobra sempre permaneceu "atrás das cortinas", feliz por maximizar o talento de outros, buscando patamares de excelência nunca atingidos ou imaginados.

*

Estávamos no verão de 2009 e eu ministrava um de meus cursos aqui na Califórnia quando conheci Eduardo Moreira, do Brasil. Estava em uma turma de aproximadamente quarenta alunos, provenientes do mundo todo. Muitos países europeus estavam representados, além dos Estados Unidos e da América do Sul. Lembro-me de que meus olhos passaram pela turma, observando cada um desses alunos de perto e, naquele instante, notei um jovem de olhos interessados, provavelmente com 20 e tantos anos.

Conforme o curso seguia, ficava mais claro que aquele aluno se destacava por seu interesse e sua personalidade. Ele sempre fazia as perguntas certas e ficava além do horário para fazer novos questionamentos. Parecia absorver tanta informação como nenhum outro aluno de quem eu pudesse me lembrar. Seu nome: Eduardo. Mas confesso que enfrentei alguns problemas com seu sobrenome "Moreira" por muito tempo.

Ele me deixava intrigado. Era desses alunos que mostravam tanta curiosidade a meu respeito que eu fico curioso sobre suas próprias razões. Para mim, aquele era apenas mais um dos meus cursos, no qual eu demonstraria minhas técnicas e daria informações sobre elas. Mas Eduardo, em apenas cinco dias do curso, mostrou extremo interesse e dedicação.

Quando os alunos desses encontros iniciais se vão, torço para que voltem para cursos futuros nos quais é permitido trabalhar com a prática e "colocar a mão na massa" — para que, dessa forma, o processo de aprendizado seja completo e eles possam executar sozinhos os conceitos que sugiro, não apenas entender a teoria. No caso de Eduardo, eu não fazia ideia de que sua intenção era voltar para casa e se dedicar profundamente à minha técnica, como se já a utilizasse havia muitos anos.

Pois não é que algumas semanas após a volta de Eduardo ao Brasil começamos a receber vídeos em que ele mostrava seu trabalho com cavalos sem treinamento? E, para minha surpresa, conseguia ótimos resultados. Os vídeos revelavam como ele era corajoso e honesto, mas eu vi que também estava cometendo alguns erros e se expondo a situações que não recomendo a nenhum dos meus alunos. Estava claro que Eduardo queria obter sucesso imediato por meio da minha técnica.

Por um lado, eu estava com medo de ele se machucar ou contundir um cavalo — o que não seria nada bom para minha reputação. Por outro, estava orgulhoso de sua coragem em seguir em frente com audácia, levando o aprendizado sempre aos limites máximos. Imediatamente passei a aconselhá-lo em vez de desencorajá-lo, e os vídeos enviados por ele começaram a melhorar. Para nova surpresa, Eduardo Moreira estava aprendendo de uma forma jamais vista no nosso meio.

Ele me incentivou a ir ao Brasil. Primeiro fui a Brasília, onde ele foi meu intérprete na arrecadação de fundos para a Ande-Brasil, uma escola brasileira de equoterapia. Nossas demonstrações foram ótimas e nos levaram a novas apresentações em São Paulo, em março de 2011. Tive a chance de visitar o sítio do Eduardo, nos arredores de São Paulo, onde ele cria cavalos manga-larga marchador. Tivemos uma estada maravilhosa no país.

Foi durante essa viagem que Eduardo me contou que tinha planos de escrever este livro. E volto a dizer: fico muito orgulhoso de ser homenageado dessa forma. Muitos cidadãos norte-americanos sabem que o Brasil fica na América do Sul, mas não conseguem nem sequer encontrá-lo no mapa. Outros pensam que os brasileiros falam espanhol.

O fato é que o Brasil precisa ser mais conhecido, pois está crescendo cada vez mais e ganhando uma posição muito importante entre os promissores países no século XXI.

Alguns norte-americanos dirão que já visitaram o Brasil e suas lindas praias. E a grande maioria deles pensa que todas as praias ficam no Rio de Janeiro. Poderão dizer ainda que ficaram surpresos de ver nessas praias lindas e atléticas mulheres e meninas jogando vôlei. Mesmo que essa impressão seja verdadeira, existe muito mais a saber sobre o Brasil do que essas pessoas imaginam. Homens americanos vão dizer que o Brasil tem mulheres bonitas, pois Gisele Bündchen claramente deixou sua marca como uma das maiores modelos de todos os tempos, assim como Gustavo Kuerten deixou sua marca no mundo do tênis e Bernardinho levou o vôlei brasileiro ao topo do mundo durante a última década. (Sua história, aliás, é absolutamente incomparável com a de qualquer outro técnico de qualquer outro esporte.)

Ainda que existam muitos outros indivíduos importantes no Brasil, vou citar apenas mais dois que vêm à minha memória por terem chegado a posições muito importantes no mundo dos cavalos. São pai e filho, Nelson e Rodrigo Pessoa. Nelson foi um dos meus heróis desde a adolescência; para mim, ele é o grande nome das competições de hipismo no mundo. Suas inovações guiaram muitos treinadores e fizeram surgir seu filho, Rodrigo.

Nelson e Rodrigo Pessoa se destacam sozinhos no topo de times familiares que dedicaram seus esforços a um esporte equestre. Considerando as competições de saltos, sua presença foi um marco para todos os tempos. Embora seu trabalho ocorra fora do Brasil, seu país deve se orgulhar do legado que Nelson e Rodrigo Pessoa vão deixar aos esportes equestres, em especial ao do salto.

Este escritor brasileiro — Eduardo Moreira — era, como disse, apenas um jovem e curioso aluno quando entrou na minha sala de aula. Já podia perceber que se tornaria um dos alunos mais interessantes, dedicados e com mais facilidade de aprendizado. Possivelmente, Moreira será um sucesso editorial brasileiro, assim como aqueles que homenageou neste revolucionário livro.

*

Eduardo deseja apresentar Nuno Cobra e a mim como inspiração para as futuras gerações. Da minha parte, ficaria muito satisfeito se nós, seus personagens, de alguma forma atingíssemos esse objetivo. No entanto, Eduardo é que será a inspiração mais forte para os jovens. Sua energia, seu entusiasmo e seu incrível talento para aprender com rapidez me inspiraram, imaginem como poderão conquistar os jovens.

Apesar da homenagem de Eduardo Moreira, sinto-me também humilde. Estar integrado aos grandes nomes parece esmagador, mas se eu realmente conseguir ser uma pequena parte de um livro dedicado a inspirar *os jovens que desejam atingir seus maiores objetivos*, então estarei satisfeito.

Espero que *Encantadores de vidas* possa colaborar, e muito, para novas gerações alcançarem seus sonhos.

Prefácio
de Nuno Cobra

Este livro vai lhe dar a possibilidade de conhecer algo espetacular e único em sua vida. Duas histórias bem diferentes, porque um dos personagens trabalha com cavalos e o outro com gente. Mas há uma simbologia exuberante que os torna iguais. Eduardo passa de forma inequívoca essa nitidez de igualdade, sentimentos e realidade ao mesmo tempo sutil e matemática.

Primeiro Você poderá ver neste livro, por outro ângulo, o do Discípulo, o monumental trabalho de Monty Roberts, que de maneira tão singular e pura consegue mostrar ao mundo o quanto um cavalo é encantador, sutil e sensível. Com sua forma humana e diferente, ele mostra não a agressiva figura de um animal tido como terrível e violento pela sociedade. Monty nos faz perceber todo o lado profundo e amigo do animal que por tantos milênios ajudou a nossa civilização. Jamais ninguém O havia visto por este ângulo tão maravilhoso, como Essa Pessoa tão profunda e delicada nos mostra de forma doce e sensível.

Por outro lado, Você poderá ver um jovem que desde muito cedo resolveu dedicar toda a sua vida a fazer com que as Pessoas vissem como Elas são exuberantes e fantásticas, e como Deus as fez poderosas criaturas capazes de tudo conseguir...

Com sua forma fácil de escrever, suave e profunda, Eduardo vai conduzi-lo a um caminho único e poderoso. Com seu jeito diferente de conduzir o Livro, ele fará Você caminhar por trilhas nunca antes percorridas, que, além de lhe fornecerem algo de incomensurável valor, vão lhe mostrar que Você também pode mudar completamente sua Vida. Ele não faz isso por meio de oratória e teoria, como na grande maioria dos livros, mas de forma prática, precisa e forte. Eduardo fez com Ele mesmo, e assim tem aquela autoridade que poucas pessoas possuem para falar sobre assunto da transformação de que tantos falam, mas que não fazem nem explicam como. Ele vai lhe permitir perceber que Você pode ser melhor e que sua vida pode mudar completamente. O mais incrível disso tudo é que Ele mostra que Você não vai depender de ninguém e que não é necessário sofrer para alcançar tudo isso de exuberante. Tudo depende exclusiva e unicamente de Você entender que Você pode. Eduardo prova isso de maneira marcante, resoluta e inquestionável, simplesmente porque Ele fez acontecer em seu corpo uma transformação de tal porte que o levou à conquista de um desenvolvimento emocional, mental e espiritual, tornando-o uma Pessoa muito especial, com muito mais saúde e superior qualidade de Vida. O que o famoso livro *O segredo* deixou de contar ele conta aqui: como conseguir esse segredo infindo de mudar completamente sua vida antiga e desgastada por uma nova e de uma energia e vitalidade incomparáveis. Aconteceu com Ele, e isto é mais forte que se Eu lhe dissesse pessoalmente tudo isso, uma vez que Ele fez, que Ele conseguiu.

O Eduardo era um e se tornou outro por força e trabalho próprios, acreditando no Método. Não foi apenas filosofia ou qualquer tipo de teoria, tudo ocorreu de forma absolutamente matemática, porque o nosso corpo é Bioquímica. Se Você faz, Ele reage e se transforma. Tudo isso aconteceu em seu corpo físico, emocional e espiritual, tornando-o uma pessoa Melhor, com muito mais energia, Vitalidade e Disposição.

É uma leitura amena, palpitante, que vai lhe mostrar como Você pode mudar totalmente (diametralmente), de forma consistente e irrevogável, toda a sua vida. Eduardo mostra de forma tranquila e ao mesmo tempo forte e consistente como Você pode adquirir uma Vida Melhor, com mais Saúde e muito mais Qualidade.

Este livro vai lhe oferecer uma visão muito real da surpreendente maravilha que é a Vida, e como Você pode alcançar isso de uma forma fácil e eficiente. Eduardo Moreira, com sua forma leve e ao mesmo tempo profunda de escrever, vai lhe mostrando aos poucos esta surpreendente Vitória que Você pode ter com Você mesmo, superando seus obstáculos e ultrapassando seus desafios com sua forma garbosa e fácil de escrever.

Este livro acaba por se tornar também uma Verdadeira *avant-première* do Meu Método que ainda está em seus capítulos finais e somente poderá ser lançado bem depois deste Dele.

Comparo Eduardo ao Ayrton Senna, pela sua forma de fazer acontecer e ter como arma um Dom: o de Fazer — estas cinco letrinhas mágicas que resolvem tudo em uma vida e a fazem completamente diferente de tudo o que era antes. São pequenas gotas de estilo de vida reunidas com raça e paixão por si, que levam as pessoas a se tornarem assim tão diferentes como se tornaram todas com quem nestas mais de cinco décadas pude trabalhar e desenvolver.

O Eduardo me lembra o Ayrton pela sua tenacidade enfurecida e extrema capacidade de Fazer; a diferença está na forma como faz: mais macia e espontânea. Tudo que é para fazer Ele faz. O Ayrton era exatamente assim. Ele conseguiu por meio do Meu Método se transformar completamente; foram milhares de horas naqueles mais de dez anos em que ele se envolveu apaixonadamente, desenvolvendo seus músculos, o que naturalmente desenvolveu suas emoções, sua mente e seu espírito. E o Eduardo vai atrás, e a galope.

I
Experiências

I

Experiencias

Meu primeiro tombo

Eu era ainda muito pequeno quando tive meu primeiro contato com cavalos. Meus avós tinham uma fazenda na cidade de Itabirito, próxima a Belo Horizonte, e costumávamos passar as férias lá com alguma frequência. Eram outros tempos. Tempos em que os anjos da guarda tinham de trabalhar dobrado. As estradas eram esburacadas e com pista simples, o uso de cinto de segurança abdominal era facultativo, nem se sonhava com equipamentos de segurança como *air bags* e barras de proteção lateral, e as crianças viajavam onde havia espaço nos carros. No meu caso, era na tampa do bagageiro do Passat 1981 do meu pai.

Na verdade, eu adorava: afinal, as mais de seis horas de viagem que separavam minha casa, no Rio de Janeiro, da fazenda, eram bem mais agradáveis se passadas deitado do que apertado num banco nada confortável.

A fazenda era linda. Linda e enorme. Acho que nunca cheguei a visitar todas as suas fronteiras. Era o lugar de que mais gostava em todo o mundo. Naquela época, ainda com menos de 10 anos, duas coisas me fascinavam: acordar cedo para lidar com o gado e montar os cavalos que tínhamos na fazenda.

Eram cavalos sem raça definida, a maioria bem mansos. Mas havia alguns mais ariscos, e outros que, por vezes, arriscavam pinotes e empinavam, deixando todos os pais muito preocupados. Todos, menos meu pai. Ele sempre nos incentivou a experimentar os riscos do campo. Levava todas as crianças para passeios pelo rio, aventuras pela floresta, escaladas nas erosões que havia nos morros dentro da fazenda e, claro, cavalgadas.

Assim, fui aprendendo a montar, sem técnica ou professores. Imitava o que via os mais velhos fazerem, e isso, é claro, incluía o uso de chicotes e o domínio dos cavalos por meio da força e do medo.

Eu adorava o desafio de montar cavalos mais ariscos. Na verdade, não só cavalos mas também outros animais da fazenda. Nos churrascos que nossos pais faziam, lembro-me de que, após várias cervejas, costumavam ir para o campo gramado de futebol, pegavam alguns bezerros, colocavam os filhos nas costas dos animais para ver quem conseguia ficar mais tempo sem ser derrubado. Normalmente esse alguém era eu.

O tempo foi passando, e minha paixão por cavalos e outros animais aumentava. Eu já passava dos 15 anos, quando um tio começou a criar cavalos da raça manga-larga marchador. Foi um sonho ter aqueles lindos cavalos na fazenda. Eu ia às exposições, comprava revistas, estudava os livros e, aos poucos, me tornava um grande fã da raça.

Foi nessa época que meu avô, sentindo que entrava nos últimos anos de sua vida, resolveu dividir as terras da fazenda. Infelizmente, junto com as terras, a família foi também aos poucos se separando, e, em alguns anos, eu já não frequentava a fazenda. A época de *cowboy* prodígio tinha acabado, e era hora de voltar a ser carioca, curtir as praias, os mergulhos e as ondas da minha cidade maravilhosa.

*

Mais de dez anos depois minha vida daria outra virada. Uma oportunidade profissional me fez deixar o Rio de Janeiro e partir para a capital paulista. Logo eu, um dos cariocas que sempre criticavam São Paulo. A cidade para mim era símbolo de trânsito interminável, poluição, selva de concreto, com pessoas que só sabiam falar de dinheiro. Mesmo assim, mudei-me, deixando incrédulos os amigos e a família — que nunca imaginaram que eu tomaria uma atitude dessas.

Bastaram alguns meses para eu mudar radicalmente de opinião sobre São Paulo e me apaixonar pelo novo lar. A cidade, percebi, era na verdade fantástica. A cada dia eu conhecia pessoas interessantíssimas, sofisticadas, inteligentes, cheias de histórias. Percebi que poucas cidades no mundo poderiam oferecer o que São Paulo oferece. Uma agenda cultural incrível, restaurantes maravilhosos, serviços públicos e privados de altíssima qualidade, pessoas divertidas, oportunidades de negócios, espaços e infraestrutura para esportes e ótimos bairros para morar. São Paulo tinha quase tudo. Faltava apenas espaço para meus bichos.

Meu primeiro lar em São Paulo foi um apartamento perto do trabalho. Não era um apartamento minúsculo, mas também não era muito grande. Na minha mente, tinha o tamanho ideal para um cachorrinho pequeno. Na minha, mas não na da minha mulher. Ela, sempre a mais responsável e racional do casal, achava que talvez não tivéssemos as condições ideais para cuidar de um cão. Mas eu precisava, não aguentava viver mais um dia longe do contato com um animal; assim, no dia do aniversário dela, presenteei-a (e a mim, é claro) com uma buldogue francesa.

Mafalda, nossa buldogue, trouxe uma enorme alegria para a casa. Dormia em nossa cama, corria atrás de nós pelo corredor, escondia nossos chinelos e nos dava muito carinho. Era maravilhoso. Tão bom, que resolvi comprar outro cachorro.

O problema é que o outro cachorro que eu queria tinha de ser grande. Sempre quis ter um cachorro grande, e Mafalda trouxe esse antigo desejo à tona. Comecei a pesquisar raças raras, ler livros sobre cães. Após muitas pesquisas, encontrei o que procurava. Uma raça rara, de cães que são ao mesmo tempo os mais fortes e corajosos do universo canino, mas com a agilidade e a energia de que eu precisava para acompanhar minhas atividades: o Buldogue Americano.

Só faltava encontrar um lugar para viver com esse cachorro; afinal de contas o apartamento não comportava um cão daquele porte. Fui em busca de uma casa para alugar. E achei uma, grande, que fazia fronteira com o parque do Ibirapuera. Ainda hoje digo que aquele foi o cachorro mais caro que comprei na vida, porque veio com uma casa.

Minha vida estava ficando cada vez mais divertida. Os cães trouxeram movimento, diversão, surpresas e até problemas que me distraíam dos demais, oriundos do trabalho. Era inevitável associar aos animais que eu colocava em minha casa um pedaço dessa felicidade.

Foi então que resolvi ir mais longe. Era o momento de ter um cavalo! Era hora de fazer as pazes com o passado e reencontrar minhas raízes, com o tipo de animal que conduzira as horas mais gostosas de minha infância.

A ideia era ótima, faltava apenas um novo lugar para colocá-lo. Por mais que a casa fosse espaçosa e tivesse um quintal generoso, eu seria tachado de louco se criasse um cavalo em plena região central da metrópole paulista.

Pois bem, se tinha arranjado um cachorro caríssimo, que viera com a casa, mal sabia eu que, em pouco tempo, estaria comprando um cavalo que viria com uma fazenda. Saí em busca de um local no interior para poder ter meus cavalos.

Minha mulher e eu, porém, vivíamos um dilema. Eu queria comprar uma fazenda, para poder criar todos os meus animais. Ela temia a fragilidade da segurança de uma fazenda e ficava intranquila com a ideia de um local onde não se sentisse segura.

Sua sugestão era comprarmos um terreno num dos condomínios próximos a São Paulo, onde existem centros equestres, campos de golfe, lagos e uma atmosfera campestre. A ideia era ótima, mas não atendia ao que eu estava procurando. Queria ver meus cavalos soltos, correndo pelos piquetes, ter dezenas de cachorros, galopar pelas montanhas — e nada disso era possível num desses condomínios. Viveria apertado num terreno de menos de um acre, o que seria pouco diferente do que eu já tinha na casa em que morava em São Paulo. Minha rotina, pensava eu, acabaria incluindo banhos de piscina, churrascos, futebol no gramado e filmes na TV. Não que eu não goste disso tudo, mas não era o que eu estava buscando, pois minha memória de infância clamava por um espaço para estar junto dos meus bichos.

*

Quando eu menos esperava, surgiu a solução. Numa viagem para uma cidade próxima da capital paulista, conheci um condomínio fechado com terrenos bem grandes. Um deles estava à venda, e era justamente aquele do qual eu mais havia gostado. Banhado pelas águas limpas do rio Paraíba do Sul, tinha 120 mil metros quadrados e uma natureza absolutamente deslumbrante. Quando vi o sítio soube que seria meu. Alguns meses depois, a negociação estava concluída; meu espaço estava comprado: era grande o suficiente para meus animais, seguro o suficiente para minha mulher.

Chegara a hora de realizar meu sonho e comprar meus cavalos. Minha felicidade estaria completa, afinal tinha agora todas as vantagens de morar em São Paulo, mas com um refúgio verde a menos de uma hora para passar meus finais de semana.

Foi então que cometi um grande erro, que se transformou, incrivelmente, no maior acerto de toda a minha vida. Resolvi comprar um cavalo pela internet. Procurei um site onde pudesse encontrar cavalos manga-larga e, com o conhecimento precário que eu tinha obtido mais de quinze anos antes, resolvi fazer minha escolha. Lembro-me até hoje do anúncio:

VENDE-SE ÉGUA ESPETACULAR.
MANSA DE SELA, ÓTIMA PARA PASSEIOS,
BEM DOMADA, GENÉTICA RARÍSSIMA E
PRENHE DE CAMPEÃO.

A foto era linda. Uma égua tordilha bem clara, alta, muito forte, e, aparentemente, muito marchadora. Liguei para o vendedor, fiz minha proposta e em algumas semanas a égua chegou ao meu novo rancho.

Loção do Piabanha era seu nome. Assim que chegou, mesmo sem montar um cavalo havia mais de dez anos, confiei na minha habilidade adormecida e pedi para que a selassem — eu queria dar um passeio. Um amigo do trabalho, grande cavaleiro e também apaixonado por animais, estava comigo no rancho e ia participar da cavalgada. A égua chegou selada junto à saída do curral e me foi entregue para que eu a montasse.

Logo após montá-la e dar alguns passos, sua garupa passou raspando no galho de uma mangueira próxima ao curral. A cena a seguir foi digna dos maiores rodeios texanos: uma égua incrivelmente alta e forte, saltando e corcoveando alucinadamente, com um cavaleiro pouco hábil na sela. Pouco hábil, mas forte e muito determinado. Aguentei vários de seus pulos sem ser derrubado. Em um dado momento, porém, resolvi procurar um jeito de sair de cima dela para evitar um acidente mais grave. Infelizmente, no exato momento em que resolvi pular, ela também pulou, potencializando meu impulso e me lançando a uns dois metros de altura, num *looping* perfeito, finalizado com um pouso de costas no terreno irregular e pedregoso que circundava o curral.

Meu peso, chocando-se com o chão numa velocidade tão grande, é claro, resultou num impacto gravíssimo para meu corpo. Lá estava eu, deitado no chão sem conseguir me mexer. Temia pelo pior, e lembro-me como se fosse hoje da sensação de impotência ao tentar me movimentar para sair da zona de impacto do cavalo — sem obter resposta do meu corpo.

Colocaram-me no carro e imediatamente fui levado por meu amigo a um hospital em São Paulo. Por sorte os danos não foram trágicos, e o saldo do tombo foi apenas uma bota de gesso, mais uma semana deitado em uma cama e seis meses de fisioterapia para aliviar as dores insuportáveis que passei a ter nas costas. Isso aconteceu em junho de 2009.

Assim que pude dirigir, algumas semanas depois do acidente, voltei ao rancho e contratei um peão para domar meus novos cavalos corretamente. Lembro-me dele montando os animais que eu tinha comprado: se demonstrassem qualquer atitude indesejada, eram imediatamente chicoteados e recebiam do cavaleiro um duro golpe das esporas nas costas.

Aparentemente o método surtia efeito, pois eles paravam de agir daquela forma, mas aquilo não podia estar certo! Deveria existir alguma forma mais justa e menos violenta de lidar com os animais.

Foi então que ganhei de um amigo *O homem que ouve cavalos,* escrito por Monty Roberts. Na dedicatória, meu amigo dizia que ficara sabendo do meu acidente e achava que aquele livro teria boas lições para mim. Comecei a lê-lo imediatamente. E logo me apaixonei pelo conteúdo.

O livro narrava a história de um *cowboy* americano (até então desconhecido para mim) que aprendera na infância a se comunicar com os cavalos numa linguagem que ele chamava de *Linguagem Equus.*

Monty Roberts, o autor, dizia que, com seu método, sem usar violência, era possível lidar com as atitudes indesejadas de qualquer cavalo no mundo — em questão de minutos.

O livro ia além, e narrava toda a fantástica história de vida de Monty. Os filmes de Hollywood que gravara, os nove títulos mundiais de rodeio conquistados, sua relação com os campeões das diversas modalidades equestres que tinha treinado, sua relação com personalidades do mundo. Ao terminar a leitura, cheguei à conclusão de que aquele autor era o maior mentiroso de todos os tempos ou a pessoa mais fantástica do mundo.

Eu tinha de visitá-lo! Achei na internet o contato da fazenda de Monty Roberts e soube que, no mês seguinte, em agosto, o autor ministraria um curso em sua propriedade na cidade de Solvang, na Califórnia, no qual ensinaria seus métodos. Liguei imediatamente para o rancho e disse que estava interessado em participar. Doce ilusão... aquele era o único curso ministrado pessoalmente por Monty durante todo o ano e era para apenas 40 pessoas, ou seja, havia muito tempo as vagas estavam esgotadas para quem quer que fosse...

Não me dei por vencido e por dias a fio continuei ligando para ver se alguém havia desistido. Contava minha história do tombo, falava da necessidade urgente de aprender o método e da vontade de conhecer pessoalmente o personagem do livro que tinha lido. Tornei-me absolutamente insistente. E, finalmente, após algumas semanas, fui aceito para me matricular no concorrido curso. No dia 14 de agosto de 2009 embarquei rumo à Califórnia para uma viagem que mudaria minha vida.

O encontro com Monty Roberts

Dezessete de agosto de 2009. Esta é a data que assinala uma mudança total de paradigma em minha vida. Nesse dia, pela primeira vez, cruzei os portões da Flag Is Up Farms, em Solvang, na Califórnia, e conheci Monty Roberts, o mundialmente conhecido "Encantador de Cavalos".

Eram 8h30. Cerca de 40 pessoas sentadas na sala de aula esperavam ansiosas a chegada daquele que nos tinha inspirado a deixar nossas casas a milhares de quilômetros rumo à pequena cidade de colonização dinamarquesa, vizinha da bela Santa Bárbara, na costa da Califórnia. Pontualmente às 9h, horário previsto para o início do curso, a porta ao lado do quadro-negro se abriu e tivemos nosso primeiro contato com Monty.

*

Já alternei em minha vida momentos extremamente religiosos e espiritualizados com outros absolutamente céticos. Acho até que o ceticismo gera os questionamentos e as dúvidas necessários para que outra fase espiritualizada venha em seguida, mais consolidada e mais forte.

Visitei Monty num momento bastante confuso de minha vida: não sabia se acreditava em Deus ou nos dados. Era um momento em que precisava achar respostas e, mais do que isso, pessoas que me inspirassem a ser alguém melhor. Bastaram poucos segundos para perceber que Monty era uma delas.

O termo *iluminado* talvez venha do sentido literal mesmo. Digo isso porque, logo após entrar na sala, a luz que envolvia Monty Roberts parecia realmente mais clara. Assim que entrou, Monty se dirigiu para a cadeira diante da turma e nos brindou com um simpático *"Good morning"*.

Ele tem uma voz firme e grave. Um tom que abraça e conforta, e passa uma enorme sensação de calma e sabedoria. Seu timbre tem também o poder de calar a todos e atrair a atenção para si. Em seguida, sorriu e nos fitou, um por um. Seu olhar também possui algo de incomum. O movimento de seu globo ocular é extremamente cadenciado e lento, a ponto de nos fazer acreditar que estamos vendo uma cena em câmera lenta.

Monty então pediu que nos apresentássemos, e foi naquele momento que percebi aonde o tombo da égua manga-larga me conduzira. O público era formado por atletas renomados, líderes corporativos e grandes nomes do mundo dos cavalos. De Felix, o jóquei sul-africano, recordista de vitórias daquele país, a Carsten, presidente do conselho executivo de uma das maiores empresas de consultoria do mundo — todos ali sabiam muito bem o que faziam ou procuravam.

E lá estava eu, um carioca expatriado para São Paulo, em busca de um jeito menos violento de domar sua égua. Mal sabia o que aqueles dias guardavam para mim.

Fomos levados ao redondel da fazenda de Monty — um picadeiro em forma circular onde os cavalos são trabalhados — para que ele pudesse demonstrar seus métodos. Estávamos todos em pé em torno do local onde o cavalo iria ser trabalhado quando a égua castanha de 7 anos entrou, puxada por uma das instrutoras da fazenda.

A égua parecia muito nervosa e agitada. Para nos mostrar seu estado, Monty pegou uma vara com um saco plástico amarrado na ponta e a aproximou da égua. A reação foi assustadora. Imediatamente começou a pular e desferir coices que poderiam atingir Monty, que, por sua vez, mantinha uma calma tão ou mais chocante que a reação da égua.

Após devolver a vara com o saco plástico para o instrutor, Monty soltou a rédea que estava presa ao cabresto da égua e deixou que ela corresse livre pelo redondel. Foi então que ele começou a colocar em prática sua técnica de *Join Up*. Aquilo era incrível, ver pessoalmente o que, apenas algumas semanas antes, eu lera no livro *O homem que ouve cavalos*, sem saber se era ficção ou realidade.

Monty se comunicava verdadeiramente com a égua. Levantava os braços e fazia com que ela aumentasse sua velocidade, abaixava apenas seus dedos e fazia com que ela diminuísse. Mudava a postura e a direção dos ombros, causando reações que, segundos antes, tinha nos avisado que ocorreriam. E assim, durante quatro minutos, Monty "conversou" com aquele animal que corria a seu redor, e que minutos antes parecia querer matá-lo naquele pequeno espaço confinado.

Monty nos disse que todos os elementos necessários para ganhar a confiança da égua tinham sido atingidos na comunicação estabelecida com ela durante os quatro minutos anteriores. E que agora iria convidá-la a se juntar a ele numa nova relação de confiança e respeito. Em pé, no centro do redondel, ele adotou uma postura relaxada, virou-se de costas para a égua com os ombros fazendo um ângulo de 45 graus em relação ao eixo longitudinal do animal, e, exatamente naquele momento, a égua virou-se e, cadenciada, foi caminhando com calma inimaginável poucos instantes antes até encostar o focinho no ombro de Monty. Ele se virou, acariciou-a entre os olhos e novamente virou-se de costas, afastando-se dela. A égua então seguiu-o sem desgrudar o focinho de seu ombro — livre de cordas ou qualquer elo físico que a obrigasse a ficar próxima a Monty.

Éramos simples espectadores com olhos marejados, sem acreditar no que víamos. Vivíamos um daqueles momentos em que a realidade supera de longe a ficção. Naquele exato momento, percebi que minha vida nunca mais seria a mesma.

*

Os dias se passavam e, a cada novo cavalo que Monty trabalhava, algo novo e surpreendente acontecia diante de nossos olhos. Cavalos com todos os tipos de problemas, extremamente perigosos, fortes e atléticos, que começavam a colaborar, abandonando os maus hábitos em curtíssimo tempo.

Pouco a pouco fui me aproximando de Monty. Durante os almoços da semana, Monty reunia todos no jardim de sua casa e, sob a copa de uma árvore frondosa, nos contava histórias de sua vida. Era eu quem mais fazia perguntas. Queria extrair até a última gota daqueles momentos para sorver suas doses de sabedoria na totalidade. Monty também parecia ter nutrido algum tipo de simpatia ou empatia por mim e, em vários momentos, contava-me histórias e casos que ocorreram em sua vida. Tive também uma impressão maravilhosa de Pat Roberts, esposa de Monty, e Debbie, sua filha, que me acolheram durante todos aqueles momentos como alguém da família. Quando nos demos conta, estávamos já muito próximos, numa relação quase paternal/filial.

O curso chegava ao fim. Na sexta-feira, último dia de aulas, fui convidado por Monty — juntamente com meu amigo brasileiro que também estava no curso e o jóquei sul-africano, Felix — para uma cavalgada pelas montanhas de sua fazenda no sábado.

Eu não acreditava no que estava ouvindo: ia passear durante toda a manhã com o protagonista do livro que eu havia lido poucas semanas antes — e que parecia, até aquele momento, um personagem de ficção.

*

No sábado, chegamos pontualmente para a cavalgada e fomos levados até as baias onde os cavalos aguardavam, prontos para um dia de passeio. Monty chamou meu amigo e lhe disse:

— O cavalo que separei para você é um ótimo animal. É irmão de pai e mãe de Chrome, o meu cavalo.

Monty trouxe então um cavalo alazão absolutamente maravilhoso. Alto, forte, com uma pelagem que brilhava como poucas vezes vi na vida. Em seguida, dirigiu-se a Felix:

— Para você, Felix, separei este quarto de milha que foi treinado por meio do nosso programa "The Willing Partners". É um cavalo excepcional, treinado para fazer atividades diversas e capaz de realizar verdadeiras proezas.

Um lindo cavalo quase negro foi entregue para Felix montar; Felix apenas sorria.

Não que eu estivesse frustrado, afinal estar ali era como fazer parte de um filme, ou mesmo de um sonho. Mas, depois que Monty trouxe os cavalos de meu amigo e de Felix, a primeira coisa que me veio à mente foi: "Acho que não sobrou nenhum cavalo especial para mim." Afinal, Monty montava Chrome, seu quarto de milha supercampeão. Meu amigo do Brasil montava o irmão de Chrome, que era nada mais nada menos que o cavalo da esposa de Monty. E Felix montava o cavalo supertreinado pelo programa especial de Monty.

Foi então que Monty me chamou e falou:

— Eduardo, tenho uma surpresa para você. Você sabe que a maior atração da minha fazenda é o Shy Boy. Este cavalo foi um divisor de águas em minha vida. Conheci Shy Boy por meio do documentário da BBC de Londres quando fui convidado para demonstrar que minha técnica poderia ser aplicada a um cavalo selvagem, solto em seu hábitat. Shy Boy foi selecionado de uma manada de mustangues selvagens, e eu o domei usando a mesma técnica que vocês aprenderam aqui durante estes dias. Como você sabe, tudo foi filmado pela BBC, e o documentário foi assistido por centenas de milhões de pessoas ao redor do mundo. Isso tornou Shy Boy o cavalo mais famoso do planeta. Muitos vêm a meu rancho apenas para vê-lo dentro da baia, e quando tiramos Shy Boy de seu quarto, as pessoas querem tocá-lo e tirar fotos ao seu lado. Shy Boy está com 17 anos e procuramos dar-lhe uma vida alegre e tranquila. Hoje, porém, quis fazer algo especial para você e selei Shy Boy para você montá-lo e me acompanhar nesta cavalgada.

Eu não tinha palavras. Aquilo era absolutamente inacreditável, inimaginável, avassalador. O tombo da minha égua não só me levara a conhecer o maior nome da história dos cavalos como também a montar o cavalo mais famoso do mundo. O limão realmente tornara-se limonada.

Saímos pela fazenda de Monty montados em nossos cavalos. Todos que me viam com Shy Boy comentavam: "Olha lá, ele está montando Shy Boy." Foi um dia para nunca mais esquecer.

No dia seguinte peguei o avião para São Paulo em Los Angeles. Mas não antes de me despedir da família Roberts e prometer a eles que me empenharia ao máximo para trazê-los ao Brasil.

Aquilo que eu tinha vivenciado não poderia ficar restrito à minha experiência pessoal. Jurei a mim mesmo fazer tudo ao meu alcance para permitir que o maior número de brasileiros pudesse conhecer as lições do mestre Monty Roberts e aprender com elas.

O encontro com Nuno Cobra
e meu segundo tombo

Já se passara mais de um ano desde minha volta da fazenda de Monty. Vivi naquele período inúmeras aventuras e desafios, viajando pelo Brasil para divulgar Monty Roberts e sua técnica. Sobre várias delas, e também sobre o que as lições representaram para mim, falarei ainda neste livro.

Minha saúde, porém, não andava de vento em popa. Eu estava muito acima do meu peso ideal, e uma fasciite plantar crônica no pé esquerdo me impedia de treinar atividades aeróbicas. Assim, eu precisava achar alguém que me orientasse. Mas não bastava um professor de musculação, afinal de contas, não eram músculos que eu estava procurando. Era saúde.

Uma tarde em minha casa, sem ter muito que fazer, resolvi escolher um livro para ler. Fui à biblioteca que tenho no escritório e comecei a folhear aqueles que ainda não havia lido. Surgiu então em minhas mãos *Semente da vitória*, do professor Nuno Cobra.

Eu havia comprado o livro fazia muito tempo, e o tinha feito porque Nuno ficara famoso por ter ajudado Ayrton Senna a se tornar o fenomenal piloto, tricampeão mundial de Fórmula Um. Meu irmão e alguns amigos já haviam lido e todos teciam muitos elogios a seu conteúdo. Resolvi então começar a leitura.

Trata-se de um livro cativante. Desde o começo, em que Nuno nos conta momentos de sua infância e juventude — acompanhamos, portanto, o surgimento de sua metodologia — até os capítulos finais, em que ele ensina os principais elementos de seu pensamento revolucionário, *Semente da vitória* mostra por que Nuno foi responsável por transformar atletas com grande potencial em verdadeiros campeões.

Era ele quem eu procurava! Agora eu precisava apenas chegar até o palestrante, escritor de um dos livros mais vendidos do mercado literário brasileiro, treinador de inúmeros campeões mundiais de várias modalidades esportivas e mentor do maior ídolo esportivo da história recente do Brasil, Ayrton Senna. Bem, não seria a primeira vez que eu tentaria algo parecido, e resolvi ver até onde conseguiria chegar.

Procurei Nuno Cobra pela internet e achei seu site. A partir do link que mencionava os telefones de contato, imediatamente telefonei para seu consultório, pretendendo marcar um encontro. Parecia fácil demais.

Fui atendido pela secretária de Nuno Cobra, que foi incrivelmente simpática. Mas a notícia não era das melhores: Nuno faria uma viagem e durante o próximo mês não receberia novos pupilos. Aliás, já no primeiro telefonema, aprendi várias coisas: Nuno não marca consulta, marca uma entrevista. Não é doutor, é professor. Não recebe no consultório, e sim em seu escritório. E não tem pacientes, tem pupilos.

Fui informado então de que eu seria procurado futuramente, e que, assim que possível, seria marcada uma entrevista com o professor.

Passaram-se um mês, dois, três, e eu não recebi telefonema algum. Cheguei a ligar, deixar recado e até a falar novamente com a secretária, que, muito educada e gentil, disse-me que ainda não tinha conseguido agendar nosso encontro; assim que o fizesse, eu seria avisado.

*

Quatro meses após meu primeiro telefonema, numa daquelas tardes chuvosas e frias de São Paulo, quando nada de novo parece acontecer, o telefone de meu escritório tocou. Ao atender, era a secretária de Nuno Cobra agendando a entrevista tão aguardada por mim ao longo de tanto tempo. Eu havia conseguido novamente.

A entrevista fora marcada para as 11h, e, pontualmente, eu cheguei à recepção do edifício nos Jardins, zona oeste de São Paulo. Já na recepção, a primeira surpresa: ao ser anunciado pelo interfone, a recepcionista do prédio pediu que eu me sentasse e anunciou que Nuno já havia sido avisado e estava vindo de casa para me acompanhar ao seu escritório. Vindo de casa? Imaginava que Nuno estaria em seu escritório recebendo cliente após cliente, numa rotina compatível com alguém com sua fama e reputação.

Já se haviam passado mais de vinte minutos quando Nuno surgiu na portaria do edifício. Ao vê-lo, todos na recepção mudaram o semblante e sorriram, sendo brindados carinhosamente com um caloroso "bom-dia" por Nuno. Ele caminhou então em minha direção e, quando estendi a mão para cumprimentá-lo, abriu os braços e, em um forte abraço, sorriu e falou: "Nossa, que rapaz bonito, que saúde você tem, garoto! Bem-vindo e prazer em conhecê-lo."

Era a primeira vez que um desconhecido me cumprimentava com um abraço efusivo assim. E a primeira vez também que era elogiado logo após ser apresentado a alguém. Nuno era banhado pela mesma luz que cerca de um ano antes eu percebera ao ser apresentado a Monty Roberts na Califórnia.

Subimos então para o escritório e começamos a conversar. Era impossível não me impressionar com a saúde e a forma física de Nuno Cobra. Com seus 72 anos, ele desfila um vigor que possivelmente poucos de meus amigos de 30 possuem. Novamente, algo que eu só havia notado em uma pessoa em minha vida, o cowboy de 75 anos que vivia em Solvang, na Califórnia.

Conversamos por cerca de uma hora, e a conversa foi mais conceitual e filosófica do que sobre o treinamento que seria preparado para mim. Minha impressão era de que ele queria antes de tudo me conhecer e saber mais sobre o ser humano que eu era, e só depois disso trabalhar em um programa que se encaixasse em meu potencial e minhas necessidades. Nuno pediu que eu fizesse dois exames e me informou que assim que recebesse os resultados prepararia um treinamento para mim.

Feito os exames, cerca de um mês após nosso primeiro encontro, voltei a seu escritório para conversar sobre o treinamento. Nunca mais me esquecerei desse dia, quando percebi como o treinamento de Nuno é realmente revolucionário. Analisando os relatórios com os resultados de meus testes, ele disse:

— Nossa, Eduardo, seus exames estão melhores do que eu esperava. Vamos começar com um treinamento mais forte do que eu imaginava. O seu treinamento será o seguinte: uma vez a cada dois dias, você se pendurará três vezes por três segundos numa barra fixa. Fará também três séries de seis flexões com os joelhos apoiados no chão como vou lhe mostrar em breve. Para as pernas, se apoiará com as costas na parede três vezes por vinte segundos com os joelhos fazendo um ângulo que coloque força nas coxas. E caminhará vinte minutos por dia.

Aquilo só podia ser brincadeira. Pendurar-me na barra, flexão com os joelhos no chão e caminhada de vinte minutos? Como apenas aquilo poderia melhorar meu preparo físico? Logo eu, acostumado com atividades esportivas que exigiam treinamentos superextenuantes? Quando lutava boxe, por exemplo, lembro-me de fazer uma série que se iniciava com vinte flexões, seguidas por cinquenta abdominais. Logo depois, sem descansar, fazia dezenove flexões e cinquenta abdominais, seguidas de dezoito flexões e cinquenta abdominais. E continuava assim, sucessivamente, até chegar a uma flexão e cinquenta abdominais. Ou na época em que praticava atletismo e treinava um total de sete horas por dia entre corrida e exercícios de musculação. Em quase todos os aparelhos para pernas no treino de musculação eu colocava todos os pesos da máquina, e no supino chegava a levantar 70 quilos em cada lado da barra, totalizando mais de 150 quilos de peso. E agora teria de fazer exercícios que me envergonharia de contar a meus amigos, de tão leves e fáceis que eram? Mas comprometimento é uma atitude importante em minha vida, e como havia prometido me entregar totalmente ao método de Nuno Cobra, faria exatamente o que ele estava me pedindo.

Prometi a Nuno seguir suas instruções, porém achava que teria alguma dificuldade com os exercícios, em razão de minha fasciite plantar. A dor que ela me causava era tão intensa que caminhar era quase impraticável.

Nuno então me orientou a não fazer nenhuma atividade por duas semanas e depois desse tempo, se estivesse melhor, começaria os treinamentos. Passaram-se as duas semanas e a dor melhorou, mas um novo acidente mudaria novamente o rumo de minha vida.

Já eram quase cinco horas da tarde. Desci para pegar um táxi, pois tinha uma reunião marcada, mas percebi, ao chegar à recepção de meu prédio, que não tinha um centavo sequer na carteira. Precisava tirar dinheiro, mas o caixa eletrônico era razoavelmente longe e chovia bastante. Fui assim mesmo, pois não poderia perder a reunião, e, ao chegar ao caixa eletrônico, estava completamente encharcado. Retirei o dinheiro e caminhei para debaixo da marquise do banco para chamar um táxi. Como de praxe, em dias de temporal em São Paulo é impossível encontrar algum disponível.

Lembrei-me então de que no prédio ao lado havia um ponto de táxi e corri até lá, mas, novamente, não tive sorte. Ao olhar para a rua ao lado, vi um táxi parado sem passageiro. "Achei!", pensei.

Para cortar caminho, resolvi correr pelo jardim gramado do prédio sob a forte chuva. Na extremidade do jardim havia uma mureta, e a manobra para transpô-la parecia simples, bastava dar um pulo, apoiar meu pé sobre ela, e com o impulso cair do outro lado, já na calçada onde estava o táxi.

As coisas infelizmente não saíram como planejado. Ao dar o impulso, meu sapato encharcou-se no contato com a grama e, ao apoiá-lo no topo da mureta de granito, também molhada, meu pé escorregou e lançou minhas pernas para a frente e meu corpo para trás. Para evitar que minha cabeça se chocasse contra o chão, joguei minha perna esquerda para trás, buscando algum apoio. Infelizmente, o que a mureta tinha de escorregadia, o chão à sua frente tinha de aderente, e isso fez com que meu pé ficasse preso lançando sobre ele todos os 90 quilos de meu corpo.

Esse movimento causou uma alavanca na articulação de meu tornozelo esquerdo de proporções arrasadoras. Ouvi um barulho alto, que lembrava o de um galho seco quebrando. Ao olhar para meu pé, a sola estava virada completamente para fora, fazendo um ângulo de 90 graus com minha canela, enquanto o osso da canela, completamente quebrado, apontava para fora, por dentro na minha pele.

A recuperação

Minha primeira reação ao ver minha perna completamente quebrada e meu pé virado na direção contrária foi pedir ajuda. Sentado sob forte temporal, gritei por um médico e por socorro. Minha reação seguinte foi tentar me controlar e dominar a situação. Respirei muito profundamente, recuperei a calma e fiz o que nenhum dos médicos com quem conversei depois do acidente até hoje consegue acreditar, segurei meu pé com uma das mãos, a perna com a outra e recoloquei a fratura no lugar num movimento brusco. Um rapaz que estava em pé ao meu lado, ao ver a manobra, quase desmaiou e ficou atônito por alguns minutos. Hoje sei que essa atitude, apesar de arriscada, foi possivelmente o que salvou meu pé de uma amputação.

Lá estava eu, sentado sob forte chuva, com o pé completamente estilhaçado, preso ao resto da perna apenas pela pele, e seguro por uma de minhas mãos. Arrastei-me até debaixo da marquise e me protegi da chuva. Nesse momento chegaram as primeiras pessoas para me socorrer.

A situação era angustiante e, se eu perdesse o controle, as coisas poderiam piorar muito, afinal de contas, a dor era absolutamente insuportável e ninguém sabia o que fazer. Foi quando me lembrei de tudo o que tinha aprendido com Monty Roberts e que vinha praticando com os cavalos ao longo do último ano por todo o Brasil.

Aprendi com Monty que, se desejamos acalmar um cavalo, precisamos antes ficar calmos. Cavalos são animais que sincronizam com nosso estado de espírito. E a primeira atitude para controlar o nervosismo, a raiva, a dor ou a ansiedade, segundo Monty, é a respiração. Eu vinha treinando essa respiração havia mais de um ano, e aquela era a hora de usar tudo o que tinha aprendido. Comecei a me concentrar em minha respiração, respirando apenas com o abdome, de forma ritmada, profunda e calma. Tinha de baixar minha pulsação e recuperar a calma e o controle da situação. Poucos minutos depois, senti-me completamente controlado. A dor diminuíra muito, as pessoas ao redor estavam também mais calmas, inspiradas pela minha calma, e tudo começou a dar certo.

Liguei então para as pessoas próximas de que precisava naquele instante: meu melhor amigo, minha mulher e meu pai. Por sorte, esse amigo — Rodrigo Iglesias — é um grande fisioterapeuta, e pedi que me orientasse em relação a que hospital deveria me dirigir. Indicou-me o Albert Einstein, assegurando que seguiria para lá imediatamente.

Quando cheguei ao hospital, depois de um longo e demorado trajeto por causa do trânsito intenso, me dirigi imediatamente ao pronto-socorro. Haviam se passado mais de duas horas desde o acidente, e eu continuava controlando minha dor e ansiedade somente por meio da respiração. A mesma que usava para lidar com os cavalos mais difíceis com que trabalhei ao longo dos últimos meses. Preenchi os formulários de internação e só então fui atendido pelo médico de plantão. Diante dele, falei:

— Doutor, não se deixe levar pela minha calma, o que ocorreu comigo parece muito sério. Estou também sentindo muita dor, apesar de estar conseguindo controlá-la com minha respiração. Gostaria que me desse, antes de qualquer exame, um medicamento que ajudasse com a dor.

Ele disse que me daria algo para aliviar a dor, mas antes precisava fazer alguns exames básicos. O primeiro deles foi medir a pulsação. Ele não acreditou no que o aparelho marcava: 45 batimentos por minuto. Era impossível que alguém naquele estado, com o pé estilhaçado, sentindo dor intensa havia mais de duas horas, estivesse com tal pulsação. Perguntou-me se eu era bradicardíaco ou atleta profissional. Disse-lhe que nem um nem outro, mas que aprendera a respirar com os cavalos...

Ele sorriu, aplicou uma injeção de morfina para aliviar minha dor e fomos para a sala de raios X. O resultado não poderia ser pior. Sete ossos completamente quebrados e fora do lugar no meu pé e perna esquerdos. Em termos médicos, tive uma fratura trimaleolar, com luxação e fratura cominutiva na fíbula. Tinha de ser operado imediatamente.

Era, porém, o meu dia de sorte. Tudo, absolutamente tudo, começou a dar certo. O médico indicado por meu amigo estava disponível para fazer a operação, sua equipe toda podia também, o plano de saúde aprovou a cirurgia em tempo recorde e o centro cirúrgico estava à disposição para aquela noite. Segundo o médico, a operação tinha de ocorrer de imediato, porque a lesão fora tão grave que o edema começava a crescer muito, fazendo com que o sangue atravessasse as camadas de meu pé até chegar à pele, onde enormes bolhas começavam a se formar. Se elas estourassem, a cirurgia teria de ser adiada. Meu amigo disse-me que fora a pior lesão de tornozelo que havia visto em toda sua carreira de fisioterapeuta.

Quando o médico que ia me operar chegou ao hospital, a primeira pergunta para ele foi:

— Doutor, só uma coisa me importa agora. Sou uma pessoa muito ativa, praticante de vários esportes, e a única pergunta que neste momento me persegue é se serei capaz de levar uma vida normal após a cirurgia.

O doutor me tranquilizou e disse que eu voltaria a fazer tudo que fazia antes da cirurgia. Perguntei-lhe em quanto tempo. Ele me disse que uma atleta olímpica com a mesma lesão tinha conseguido se recuperar em dois meses, apesar de a recuperação tradicional poder levar até seis meses.

Disse-me que alguns médicos chegam a deixar seus pacientes sem encostar o pé no chão por dois meses após a lesão, mas que faria comigo um processo de recuperação bem ativo, e que eu tinha tudo para me restabelecer rápido.

Pensei naquele momento que, se havia uma pessoa que conseguira se recuperar em dois meses, assim também seria minha recuperação. Fomos para a sala de cirurgia e, no momento mais tenso, antes der ser operado, meu batimento cardíaco subiu para 55 por minuto, algo ainda inacreditável para todos aqueles que acompanhavam meu caso. Aplicaram uma injeção para eu dormir e a cena seguinte de que me lembro é acordar no quarto do hospital ao lado de meu pai e do médico cirurgião. A operação tinha sido um sucesso!

Dois dias depois da cirurgia, voltei para casa, e uma das primeiras pessoas para quem liguei foi Nuno Cobra. Disse-lhe que precisava muito de sua ajuda, que um acidente grave tinha acontecido comigo. Nuno foi naquele dia mesmo para minha casa e passamos a tarde conversando. Ao ver minha lesão e saber do que havia acontecido, o primeiro comentário de Nuno:

— Edu, temos de comemorar! Você vai me prometer que vai fazer um brinde e agradecer pelo que aconteceu. A possibilidade de perder o pé era de mais de 80%, e você está ótimo hoje. Sua atitude de reduzir a fratura foi realmente inacreditável, e possivelmente foi o que salvou seu pé. De agora em diante, vamos trabalhar para que você tenha uma ótima recuperação, mas nunca se esqueça de que é uma pessoa de muita sorte.

E então Nuno começou a falar sobre minha recuperação.

— Minha maior preocupação neste momento não é seu pé, mas sua mente. Precisamos ocupar sua mente para que você mantenha o prumo e o equilíbrio de que precisa para a recuperação. Vou fazer uma lista de atividades e exercícios de respiração para que você adquira esse estado.

E continuou:

— Existem três coisas que são fundamentais para sua recuperação. A primeira delas é a alimentação. Você rasgou, cortou, feriu, rompeu, milhares de pequenas coisas dentro de seu pé. Precisa agora de tijolinhos para construir tudo novamente. Esses tijolos, nós vamos buscar nos alimentos. A segunda é o sono. Você precisa dar aos pequenos trabalhadores dentro de você tempo para que reconstruam tudo que foi destruído. Se você está acordado, em atividade, esses trabalhadores estão ocupados com outras tarefas. Ao dormir, você vai deixá-los livres para se ocuparem em recuperar a lesão. E, por fim, a terceira é a movimentação. Apesar de não poder movimentar a perna, vamos movimentar outras partes para que seu corpo não perca o dinamismo e trabalhe, levando sangue e tijolos para todas as partes, e assim a reconstrução aconteça de forma mais rápida. Equilibrando a mente, alimentando-se bem, tendo boas horas de sono e movimentando-se, tenho certeza de que a recuperação acontecerá em tempo recorde.

*

Segui todas as orientações de Nuno. E, graças a ele, ao sucesso da operação e ao meu grande amigo e fisioterapeuta que me acompanhou diariamente nesse período, em exatos dois meses eu abandonava as muletas, a bota de imobilização, tirava os pontos da operação e caminhava normalmente mais de 3 quilômetros diariamente. Eu me recuperara na mesma velocidade que a atleta olímpica. E era uma pessoa muito mais forte do que antes.

Se meu primeiro tombo me aproximou muito do maior encantador de cavalos do mundo, o segundo me aproximou do maior treinador de atletas de ponta do mundo. Percebi então que meus dois tombos tinham me dado de presente a amizade de dois verdadeiros encantadores de vidas.

II

A filosofia e os princípios de Monty Roberts e Nuno Cobra

II

Recompensa para as vitórias

Nos cursos de Monty Roberts, nunca me preocupei em memorizar as técnicas que ele utilizava para atenuar os problemas dos cavalos com que lidava. Sempre pensei que cada cavalo é um animal único, e que a ação empregada para resolver o problema de um cavalo possivelmente não funcionaria com outro. Com o conceito já é outra história, pois este, sim, deveria ser o mesmo para qualquer cavalo. Era esse conceito que eu buscava e foi nele que me concentrei durante todos os dias em que observei Monty. Talvez tenha sido essa perspectiva que me ajudou a aprender tanto em tão pouco tempo.

Monty baseia sua técnica em alguns princípios que podem ser aplicados não só a cavalos mas também a outros seres. O primeiro deles, e talvez o mais importante, é o que ele chama de PIC-NIC.

As iniciais PIC-NIC referem-se ao princípio da Consequência Imediata Positiva-Consequência Imediata Negativa (*Positive Immediate Consequence-Negative Immediate*

Consequence). Trata-se de um conceito que se baseia em recompensar imediatamente uma atitude positiva, e do mesmo modo punir uma atitude negativa. É importante notar, entretanto, que a punição não deve envolver qualquer tipo de violência, em hipótese nenhuma. Como Monty costuma repetidamente dizer: "Violência nunca é a resposta."

Com os cavalos, a atitude positiva significa, por exemplo, um carinho entre os olhos. Monty acaricia os cavalos entre os olhos porque essa é uma região do corpo que fica fora do ângulo de visão deles. Ao invadir uma região sobre a qual o cavalo não tem controle e fazer-lhe um carinho, Monty está passando uma sensação de confiança e segurança para o cavalo, e isso, para um animal que tem como principal arma de sobrevivência a fuga, é uma grande recompensa.

*

É muito importante entender o que é considerado recompensa e punição antes de aplicar o método do PIC-NIC. Se isso não estiver claro, de nada adianta aplicá-lo. Muitas pessoas recompensam cavalos dando-lhes cubos de açúcar ou pedaços de cenoura para comer direto de suas mãos. Monty lembra-nos que, nos últimos milhões de anos, tempo em que a espécie *Eqqus cabalus* habita a Terra, comida nunca foi recompensa para esses animais.

Eles precisam apenas abaixar o pescoço e pastar, pois cavalos, ao contrário de lobos, por exemplo, não precisam caçar para comer. Ao alimentar um cavalo com uma cenoura direto de sua mão, você não só está deixando de recompensá-lo, mas também o está ensinando a mordê-lo, pois ele vai passar a ver você como fonte de alimento.

A recompensa negativa da mesma forma deve ser pensada de modo a surtir o efeito necessário. Um cavalo que tenta saltar um obstáculo e não consegue, não precisa e não deve apanhar ou sentir qualquer tipo de dor por causa disso. Fazê-lo tentar novamente é uma recompensa negativa suficiente para ele, pois envolve esforço e trabalho.

No momento em que o cavalo consegue saltar o obstáculo, muitos tendem a repetir o exercício para que o animal fixe o resultado. Ao fazer isso, estão dando uma recompensa negativa quando deveriam, ao contrário, proporcionar um momento de prazer e qualidade para o cavalo. Só para exemplificar, uma ação correta seria desmontar e levá-lo para uma caminhada breve e livre. Essa medida associaria a atitude desejada com algo prazeroso, não com algo ruim.

Monty classifica os animais em dois tipos: os lutadores e os fugidores (*fighting animals* e *flying animals*). Animais lutadores são aqueles que, ao deparar com uma situação de luta pela sobrevivência, lutam. São normalmente os predadores, e o lobo é um bom exemplo desse tipo de animal. Para sobreviver, precisa caçar, e caçar implica lutar.

Animais fugidores por sua vez são aqueles que, ao deparar com uma situação de perigo, fogem. Em geral são as presas dos animais lutadores. Cavalos são animais fugidores; ao menor sinal de perigo, fogem para lutar por suas vidas.

É muito importante entender a natureza do animal antes de aplicar o método PIC-NIC. Afinal, sua natureza vai determinar o que é uma recompensa ou punição para aquele animal. Lobos, por exemplo, lutam para se alimentar e, em mais de 90% das caçadas, são malsucedidos. Parece claro, portanto, que comida é uma recompensa para eles. Cães, animais aparentados com os lobos, são também em essência lutadores. Por isso, petiscos e biscoitos são recompensas válidas para cães. Mas não para cavalos.

Monty vai além, ao afirmar que o PIC-NIC pode ser também aplicado às pessoas. Principalmente crianças, que, segundo ele, são muito similares a animais fugidores.

As pessoas têm o hábito de punir as crianças com advertências, castigos, ameaças e em alguns casos até com violência quando fazem algo que lhes desagrada. Não é preciso dizer que Monty é absolutamente contrário ao uso de violência com crianças. Isso não quer dizer, porém, que atitudes indesejadas não devam resultar em consequências negativas por parte dos pais — consequências essas que podem ser bem simples, como não dar a atenção solicitada pela criança, e podem surtir efeito mais forte do que qualquer ato violento.

Talvez mais importante que a consequência negativa para atitudes indesejadas seja a recompensa positiva para as atitudes que esperamos, quase sempre esquecida.

Basta prestar atenção numa reunião de família em que avós, filhos e netos estejam confraternizando. Durante todo o tempo ouve-se "Filho, não mexa nisso", "Filha, se fizer isso novamente vai ficar sem sair com seus amigos amanhã", e até "Você sabe o que vai acontecer se quebrar isso, não sabe?".

Mas, no momento em que a criança abandona a atitude indesejada e faz o que se espera dela, os pais, em vez de recompensá-la com um sorriso, uma brincadeira, ou mesmo um "Muito bem", apenas comentam: "Finalmente ela acalmou, não aguentava mais." E o que permanece para a criança é que a atitude positiva não resulta em consequência positiva, e isso não a incentiva a repetir tal atitude.

*

Neste ponto Monty e Nuno Cobra têm muito em comum. Nuno é um preparador de campeões. Já construiu vários ao longo da vida, em diferentes modalidades, faixas etárias e situações. Um de seus primeiros trabalhos com quem se submete a seu treinamento é reprogramar a mente e o estado de espírito.

Nuno acredita que, ainda pequenos, somos levados a temer a vitória. Isso mesmo: nossos pais, as regras sociais, os métodos de disciplina, tudo nos leva a temer a conquista. Um ótimo exemplo é o da criança que logo após aprender a andar vai atrás de algum objeto na casa. Não nos damos conta do esforço que é para essa criança alcançar o objetivo.

Primeiro, precisa levantar-se, achar algum apoio, fazer força, encontrar equilíbrio. Depois, necessita caminhar, passar por obstáculos, não cair e alcançar o objeto. Finalmente, quando consegue vencer todas as dificuldades e conquistar aquilo que planejou, quando seu nível de adrenalina está altíssimo pela excitação que isso lhe causa, o pai vê a cena e dá um berro: "Não mexa nisso, saia já daí e vá para o castigo."

Pronto, para a mente da criança, que ainda possui poucas informações, lá está a ligação entre a conquista e uma consequência negativa. Outro bom exemplo dado por Nuno é o da criança que pega alguns objetos e tenta acertar uma lâmpada. Quando finalmente acerta, sofre uma reprimenda enorme dos pais, e acertar fica registrado como algo ruim na mente dessa criança.

O que Nuno Cobra defende é que nesse momento, de adrenalina alta, quando a sensação da vitória e da conquista é máxima, devemos recompensar positivamente a mente das crianças. Algo como: "Parabéns, filho, você conseguiu alcançar esse objeto!", ou mesmo: "Nossa, filho, não sei como você conseguiu acertar essa lâmpada, que mira fantástica!" Passado o momento da adrenalina e depois de fixada a recompensa positiva para a conquista, devemos então dizer alguma frase educativa, como: "Filho, você percebeu que depois de acertar a lâmpada ficamos no escuro, e todos fomos prejudicados. Vamos da próxima vez treinar com uma latinha em cima do muro do lado de fora da casa?" Com isso se manterá vivo o gosto pela vitória.

O mesmo acontece com o aluno que chega em casa com o boletim de notas. Dez em Matemática, 9 em Português,

8 em Geografia, 9 em Ciências e 6 em História. A primeira atitude da maioria dos pais é de questionar a nota 6 em História. Em vez de fixar a derrota, o tropeço, deveriam enaltecer as vitórias. "Não acredito que você tirou 10 em Matemática, filho, logo essa matéria em que as pessoas têm tanta dificuldade? Você realmente tem talento para números, saiba que estou muito orgulhoso." Não é necessário sequer criticar a nota 6. A recompensa pelas boas notas vai incentivá-lo a melhorar as outras para que possa buscar mais recompensas. Isto é treinar uma mente vencedora.

Aprendizado incremental

Passados os meses de recuperação de meu acidente, eu estava preparado para recomeçar os treinos de Nuno Cobra. Voltei ao seu escritório e combinamos que eu seguiria a mesma sequência de exercícios que havíamos definido antes de me machucar. Caminhar 20 minutos por dia numa velocidade que não elevasse meu batimento cardíaco acima dos 120 por minuto, mas também que não o deixasse abaixo dos 100. Em dias alternados eu deveria também fazer o exercício da barra, em que me penduraria por três vezes durante três segundos, as três séries de seis flexões e a sustentação de meu corpo sobre minhas pernas semidobradas, apoiando as costas na parede.

O primeiro desafio era vencer meu orgulho ferido e a vergonha que teria ao fazer esses exercícios leves na frente dos outros. Ainda tentei pedir que Nuno aumentasse a carga de exercícios, mas ele me respondeu com uma frase que guardo como lema até hoje: "Meu querido Edu, vamos devagar porque temos pressa. Um navio que fica no estaleiro perde meses sendo consertado e fica fora de atividade. Não podemos deixar você ir para o estaleiro, temos de cuidar para que sua saúde esteja perfeita, para atingirmos os resultados o mais rapidamente possível." Portanto, vi que teria de lidar com os outros mesmo...

O primeiro dia de treinos foi difícil. Não pelos exercícios, que considerava adequados para um senhor de 105 anos de idade, mas porque foi no parque do Ibirapuera, e isso significava estar diante de centenas de pessoas enquanto eu os praticava.

Comecei com a caminhada. Alguns passos e minha frequência cardíaca já estava acima dos 100 por minuto. Era constrangedor manter aquela velocidade baixíssima. Senhores, senhoras, crianças, pessoas passeando com cachorros, todos me ultrapassavam. Eu olhava para o chão, para as árvores, só não olhava para o rosto das pessoas. Nuno não podia fazer aquilo comigo, era injusto uma pessoa atlética, acostumada a correr, com fama de valente e esforçado como eu, passar por aquela situação. Mas ainda iria piorar. Quando cheguei ao local das barras, tive de me pendurar por três segundos na barra, enquanto os garotos mais magros e mais fracos do que eu faziam dez ou mais repetições do exercício. Hoje percebo que o culpado não era Nuno, mas sim o meu preparo físico.

Pouco a pouco fui me acostumando com a situação e também aos poucos fui passando a me importar menos com o que os outros estavam achando. Duas semanas depois de ter começado, me encontrei com Nuno e ele fez pequenas alterações na sequência de exercícios, transformando a série nas barras. Eu deveria agora não apenas me pendurar na barra, mas, partindo de um banco que me projetasse com a cabeça acima da barra, descer três vezes vagarosamente até que meus braços ficassem esticados. No dia seguinte, eu já estava fazendo os novos exercícios.

Passadas cerca de quatro semanas desde o início dos exercícios, tomei um verdadeiro susto. Meus músculos começaram a se desenvolver numa intensidade e velocidade impressionantes. E mais ainda: eu havia perdido 4,5 quilos nessas quatro semanas! Como era possível uma caminhada de 20 minutos e exercícios tão leves causarem uma transformação tão grande em meu corpo num prazo incrivelmente curto?

Mais do que isso, minhas dores no corpo haviam sumido, a inflamação na sola do pé que vários médicos tinham tentado curar com infiltrações de cortisona e anti-inflamatórios tinha praticamente desaparecido — e eu não sabia mais o que era ficar doente. Aliás, desde que comecei meu treinamento com Nuno Cobra até hoje, nunca mais tive uma gripe sequer.

*

A verdade é que o método de Nuno é incrivelmente simples e completamente lógico quando se entende a fisiologia do corpo humano. Ele se baseia em suprir as necessidades do corpo e aumentar sua capacidade continuamente ao longo do tempo.

O primeiro exame que Nuno pede a um aluno é um teste ergoespirométrico. Nesse teste, entre outras coisas, ele pode observar em que faixa de batimento o coração está trabalhando em déficit ou superávit de oxigênio. O nível de batimento acima do qual passamos a trabalhar em déficit de oxigênio é aquele que devemos respeitar como limite, trabalhando abaixo dele.

O conceito é simples. Quando fazemos uma atividade física, todo o nosso corpo trabalha sob esforço. Para que as células e os órgãos possam efetuar esse esforço, precisam de mais combustível. Esse combustível chega por meio do sangue, logo, o coração bate mais rápido para que mais sangue circule pelo corpo. Os tijolinhos que usaremos para reconstruir as microlesões que sofremos ao efetuar um esforço e o combustível para que o esforço possa ser feito, tudo isso é carregado por meio da circulação. Se colocarmos o corpo para fazer um esforço intenso, isso resultará em uma necessidade muito grande de combustível, e igualmente de muitos "tijolos" para reconstruir o que foi lesado. O problema é que, a partir de certa velocidade, o sangue não consegue mais absorver o material que precisa ser levado. Nesse ponto estaremos trabalhando deficitariamente em relação àquilo de que nosso corpo precisa, destruindo as células e os órgãos ao invés de construí-los.

Esse conceito vale definitivamente para todas as partes do corpo. Para o cérebro, por exemplo, onde boa parte de nosso sangue circula durante uma atividade de esforço. Ao destruir células cerebrais, estamos também destruindo nossa capacidade de concentração, de objetivo, de atenção e de percepção. Ao contrário, se trabalharmos na faixa correta, vamos nutrir e construir células em todas as partes do corpo. Por isso a melhora nas dores e inflamações, o aumento da capacidade de resolver problemas e a maior imunidade a doenças.

As microlesões ocorridas durante os exercícios leves que eu fazia recebiam o material necessário para se reconstruir durante as minhas caminhadas, e o reparo era efetuado durante o meu sono. Ou seja, é um método completamente diferente daquele ao qual eu estava acostumado quando me exercitava até a exaustão na academia, lesionando meu corpo muito acima do que podia reparar ao mesmo tempo que não levava o material por meio da circulação para efetuar o reparo.

Por isso nunca percebi uma evolução muscular e de preparo físico como passei a observar utilizando o método de Nuno. Com a atividade que fazia agora, era como se estivesse superalimentando minhas células em relação ao que estavam acostumadas, e o resultado não poderia ser outro, uma evolução que eu nunca havia imaginado. Nuno estava coberto de razão ao afirmar que *deveríamos ir devagar porque tínhamos pressa.*

*

Os métodos de Monty Roberts coincidentemente têm o aprendizado incremental como um de seus pilares. Monty o chama de "Incremental Learning". Significa ir aos poucos apresentando um novo hábito, gesto ou exercício ao cavalo.

Minha primeira experiência com o conceito de aprendizado incremental foi na verdade com Monty Roberts, ao vê-lo trabalhar com um animal no curso do qual participei em 2009.

Era uma égua castanha totalmente traumatizada e assustada com tudo o que se movia ao seu redor. Lembro-me dos coices que ela desferia quando Monty se aproximava com algo como um saco plástico junto a seu corpo. Eram coices tão fortes e rasgavam o ar com tal velocidade que que pareciam capazes de, literalmente, atravessar qualquer superfície.

Parecia impossível ele aproximar-se dela com qualquer objeto estranho. Imagine o perigo que correria um profissional que fosse ferrá-la ou um veterinário que fosse examiná-la. Era um animal que só poderia passar por tais situações se estivesse amarrado e com os movimentos restritos, com métodos que sempre envolvem violência, o que necessariamente aumentava cada vez mais seu trauma.

Monty então aproximou o saco plástico, que ficava preso à ponta de uma vara para que houvesse uma distância de segurança entre ele e a égua, e deixou que ela reagisse, desferindo os coices. Em vez de tirar o saco plástico de perto quando os coices foram dados, Monty manteve-o exatamente no mesmo lugar, próximo ao corpo dela, sustentando a vara na mesma posição. A égua continuou dando coices até cansar. Isso era uma recompensa negativa para ela, visto que o dispêndio de energia para um animal de cerca de meia tonelada fazer um movimento como esse é muito grande. Sem violência, a égua tinha uma experiência de esforço, de cansaço ao ter uma reação indesejada, ou uma NIC (*Negative Immediate Consequence*).

Logo após a égua parar de desferir os coices, Monty afastou o saco plástico. Tínhamos agora uma PIC (*Positive Immediate Consequence*) para a atitude que queríamos. O fato de o saco plástico, que era o objeto temido, se afastar, e de não haver mais a necessidade de realizar o esforço dos golpes começou a ensinar à égua que bastava que se acalmasse e parasse de dar coices para que o saco fosse afastado. Exatamente o contrário do que lhe havia sido ensinado por toda a vida, quando bastava que o golpe fosse dado para que todos se afastassem. O coice gerava uma PIC e não uma NIC como deveria.

Monty então aproximou novamente o saco plástico. Dessa vez ela o deixou chegar mais perto e se permitiu ser tocada pelo saco plástico. Deu ainda um coice, e, por causa disso, Monty manteve o saco plástico encostado a seu corpo, mas rapidamente ela se acalmou. Quando isso aconteceu, Monty afastou o saco plástico. E assim, com incrementos graduais e muita paciência, Monty foi se aproximando cada vez mais e tocando a égua em todas as partes de seu corpo com o saco plástico. Passados não mais do que dez minutos, Monty estava em pé, atrás da égua, na zona de coices, esfregando todos os lados da garupa com o saco plástico enquanto ela relaxava com o pescoço abaixado, parada, sem estar presa a lugar algum.

Da mesma maneira que o método do Nuno Cobra, o que parecia algo completamente lento e cadenciado se refletiu em resultados rápidos como nenhum de nós poderia imaginar.

Monty utiliza esse conceito para treinar os cavalos que participam de competições, para os que se apresentam em concursos de morfologia e beleza, para os que têm hábitos indesejados que precisam ser corrigidos e principalmente para aqueles que estão sendo domados pela primeira vez.

A primeira doma do cavalo, ou iniciação, como Monty costuma dizer, é um momento que deve deixar boas recordações para os cavalos. Por isso a importância de apresentar os equipamentos que serão colocados neles, o cavaleiro e a sensação de ter alguém ou alguma coisa carregada sobre seu dorso de forma gradual e positiva. Monty recompensa cada reação calma e positiva do cavalo durante esse processo. O resultado é que, enquanto uma doma tradicional demora entre três e quatro semanas, envolve o uso de violência e cerca de 95% dos cavalos escoiceiam ao receber o primeiro cavaleiro sobre si, com o método de Monty, esse processo demora de 20 a 30 minutos, não se usa violência alguma e 95% dos cavalos NÃO escoiceiam ao receber o cavaleiro. Não há como não chamar isso de revolucionário...

A importância da saúde

Um dia, Monty Roberts disse uma frase que não esqueço:

— Eduardo, só existem dois presentes que podemos verdadeiramente dar aos outros e a nós mesmos. Você sabe do que estou falando?

Respondi que não sabia, e Monty então continuou:

— O presente que de fato podemos dar aos outros é nosso tempo. Somente quando dispomos de nosso tempo para dar verdadeiramente atenção a outra pessoa é que a estamos presenteando com algo verdadeiramente nosso. E o que podemos dar a nós mesmos é a boa saúde. É um presente que incorporamos como nosso e que nos muda para melhor.

Monty sabe do que está falando. Hoje, aos 76 anos, é um exemplo de saúde e disposição. Trabalha em jornadas de mais de dez horas, num ofício que envolve grande esforço físico e requer atenção total ao lidar com cavalos extremamente perigosos. Mas sua saúde não foi sempre assim.

Há cerca de dez anos, Monty pesava mais de 120 quilos. Uma forma física que não era condizente com o atleta e ator de cinema que havia sido (Monty foi nove vezes campeão mundial de rodeio e fez vários filmes em Hollywood), nem com a rotina do maior encantador de cavalos do mundo. Um dia, após fazer um exame por ter sentido um mal-estar súbito, Monty descobriu que ou mudava seus hábitos e cuidava da saúde, ou mudaria de plano espiritual. Estava literalmente à beira da morte.

O médico lhe recomendou que comesse apenas vegetais verdes, cortasse radicalmente os açúcares e carboidratos e só comesse carne de peixe ou frango. Monty perguntou se poderia comer arroz, batata, cenoura ou algo que acompanhasse a carne e os vegetais. O médico lhe respondeu com um sonoro "não!". Monty então perguntou com que frequência deveria fazer a dieta. Todos os dias, em todas as refeições, incluindo o café da manhã, e para sempre, foi a resposta. A alternativa seria flertar com a morte.

Monty perguntou ao médico se poderia juntar esses ingredientes e preparar uma sopa, para que pudesse também hidratar-se, dado que fazia parte de sua dieta tomar muita água durante o dia. O médico disse que sim, que quanto a isso não havia restrição.

Monty então começou a consumir sopa em todas as refeições, todos os dias, com uma disciplina digna das pessoas especiais e determinadas. Hoje, próximo dos 80 anos, Monty pesa quase 40 quilos a menos, corre como um garoto, passa horas a fio sob intenso calor, lida com cavalos com mais disposição do que muitos de seus instrutores com 20 e poucos anos de idade, e tem uma frequência cardíaca de atleta profissional, com uma pressão arterial de garoto. E disciplina e vontade de viver para realizar coisas novas, uma combinação capaz de levar qualquer um a alcançar feitos fantásticos.

Por sua vez, Nuno Cobra redefine o conceito de saúde. Seu método é uma verdadeira revolução, e derruba não só dezenas de mitos e práticas que fazem parte do cotidiano de grande parte dos atletas, mas conceitos comuns às pessoas em geral.

Seu princípio básico diz que o corpo humano é uma obra divina e, portanto, absolutamente perfeita. Não por acaso damos ao nosso corpo o nome de organismo. Fazemos isso em razão de sua capacidade de se organizar quando algum tipo de desequilíbrio ou necessidade se faz presente. O método de Nuno se baseia em fornecer todas as condições necessárias para que nosso corpo se organize e volte ao equilíbrio e desenvolvimento.

Lembro-me do primeiro encontro que tive com Nuno. Após uma longa conversa e sem entender direito qual seria o papel dele durante meu treinamento, perguntei-lhe se deveria fazer os exercícios que ele indicara na academia. A resposta de Nuno foi no mínimo surpreendente:

— Edu, a partir de hoje você pode cancelar sua academia. Todos os nossos exercícios serão feitos ao ar livre, de preferência em algum parque. Pode também cancelar seu *personal trainer*, seu nutricionista e também seu psicólogo, se você tiver um.

Assim é Nuno. Seu método vai muito além do que grande parte das pessoas imagina. Muitos ainda o veem como um preparador físico, que ganhou fama por ter tido grande importância na formação e no desenvolvimento do piloto de Fórmula 1 Ayrton Senna. Na verdade, Nuno é um preparador de vidas.

O corpo é apenas o instrumento para algo muito maior. Ele costuma dizer que começa pelo corpo, para chegar à mente e então alcançar o espírito. Assim consegue formar mais do que superatletas, consegue formar grandes pessoas.

Antes de treinar com Nuno, conversei com várias pessoas próximas que tinham algum grau de envolvimento com ele, ou eram próximas de atletas que já tinham passado por seu treinamento. Confesso que cheguei a ficar assustado com o que ouvi e quase desisti de procurá-lo. Todos me diziam que Nuno era absolutamente radical. Que me obrigaria a fazer uma dieta super-rigorosa, me instruiria a dormir cedo todos os dias e que nos exercícios me impediria de usar walkman ou qualquer outro aparelho que me tirasse a atenção. Ouvi ainda histórias de que Nuno ensinava seus alunos a comer como um ruminante, de forma superlenta, e que eles tinham de sentar debaixo de uma árvore todo dia, depois do almoço, e meditar por meia hora. Aquilo tudo era impossível para mim e, se realmente seu método solicitasse essa mudança radical de hábitos, eu rapidamente desistiria.

Já no primeiro encontro, porém, vi que nada disso fazia sentido. Lembro-me de que ao final de nossa conversa, após receber as instruções sobre os exercícios que deveria fazer, perguntei-lhe que tipo de dieta eu deveria seguir, uma vez que me alimentava muito mal.

A resposta de Nuno foi o que eu menos poderia esperar:

— Coma exatamente o que você está comendo. Não se preocupe, eu não tenho a menor intenção de impor um tipo de alimentação que não lhe seja prazerosa. Pense desta forma: se eu lhe disser que você deve comer todos os dias um prato de legumes e verduras, frutas de sobremesa e cortar o álcool, as frituras e as gorduras de sua alimentação, se você for a pessoa mais disciplinada do mundo, seguirá essa dieta por dois anos. Talvez três, se sua disciplina e força de vontade forem completamente fora do comum. Mas, depois disso, voltará aos hábitos anteriores, porque terá passado um longo tempo fazendo algo que não lhe dá prazer e é sacrificante. Vamos aos poucos tentar incluir alguma coisa saudável e gostosa em seu prato. Se você come, por exemplo, um bife à milanesa com maionese de batatas e farofa de bacon, vamos tentar colocar um pedacinho de brócolis com esse prato para ver se você gosta. Aos poucos, vamos acrescentar novos alimentos que lhe deem prazer ao comer e que ao mesmo tempo sejam mais saudáveis, para transformar a boa alimentação em hábito. Minha preocupação é prepará-lo para uma boa vida até seus últimos dias e não colocá-lo em forma para o próximo verão.

Aliás, essa é uma constante no treinamento de Nuno. As coisas dão prazer. Afinal, estamos na vida para ser felizes e ter bons momentos. Nuno Cobra derruba de uma vez por todas a máxima do *"no pain, no gain"* (sem dor, sem resultados). Tudo é feito dentro da zona de conforto. A lógica do conceito é: se o que estamos fazendo não nos dá prazer, ou nos tira da zona de conforto, é porque o corpo está sinalizando que há algo errado.

A melhor maneira de entender essa lógica é por meio de seus exercícios. Após analisar os resultados dos testes de esforço a que submete os alunos antes de iniciar seu treinamento, Nuno verifica a zona de treinamento na qual seu organismo funcionará sem déficit de oxigênio. O resultado é sempre a indicação de uma carga de esforço muito abaixo do que as pessoas acham que são capazes. No meu caso, isso resultou em começar meus treinamentos com uma caminhada de 20 minutos, que mantivesse meu batimento cardíaco entre 100 e 120 por minuto.

Caminhar nessa faixa de treinamento é absolutamente delicioso. É delicioso porque não cansa. Quando comecei a caminhar seguindo as instruções de manter-me no intervalo de batimentos cardíacos sugerido por Nuno, entendi por que seus alunos não usam walkmans ou aparelhos de MP3 quando correm. Não usam porque não precisam.

Sempre tive o hábito de correr ouvindo músicas que me empolgassem. Lembro-me de ter na sequência de músicas que ouvia enquanto corria a trilha sonora do filme *Rocky, o Lutador*. A verdade é que ouvia essas músicas porque precisava de algo para distrair minha atenção do cansaço e do esforço que estava fazendo, tamanho o sacrifício e desconforto que sentia. Quando nos exercitamos dentro da zona de conforto, não existe essa necessidade.

O melhor, porém, ainda estava por vir. Após algumas semanas de caminhadas, percebi que, para atingir os 100 batimentos por minuto, precisava andar muito depressa, caso contrário meu batimento mantinha-se próximo dos 90. A caminhada então evoluiu para uma levíssima corrida. Aliás, uma corrida supercuriosa, porque é mais lenta do que a caminhada, entretanto, por ter o aspecto biomecânico da corrida e por usar muito mais músculos do corpo, eleva a frequência cardíaca de forma muito mais rápida. Essa corrida leve foi evoluindo até que, para atingir os 100 bpm, eu tivesse de realmente correr. E assim evoluiu o processo, até que estivesse correndo a uma alta velocidade sem que a frequência cardíaca ultrapassasse a zona de conforto. Extraordinário: Imagine-se correndo tão rapidamente como poucas vezes correu em sua vida, com a sensação de conforto e de prazer que tem ao dar uma leve caminhada. É isso que o método de Nuno tem a oferecer.

Lembro-me de quando voltei para meu primeiro retorno de avaliação com Nuno. Marquei com sua assistente e no horário combinado lá estava eu no hall do prédio do escritório dele. Quando chegou, caminhei para o elevador na intenção de que subíssemos ao seu escritório. Nuno caminhou na direção contrária, rumo à saída do prédio, e me chamou:

— Nossa reunião é aqui fora. Hoje nós vamos cheirar um café.

Cheirar um café? O que será que Nuno queria dizer com isso? Segui-o em direção à saída e fomos caminhando até uma lanchonete que fica a pouco mais de uma quadra de seu escritório.

Chegando lá ele me disse:

— Este aqui é meu escritório para as reuniões de avaliação. É muito mais gostoso nos reunirmos aqui para conversar e ver como vai sua evolução.

Nuno então pediu à garçonete que nos servisse dois cafés, e "aquele" doce especial para mim. Poucos minutos depois chegaram os dois cafés e uma bomba de morango, super-recheada com um creme rosado e cobertura de açúcar. Não podia acreditar que ele havia pedido um doce para mim!

Enquanto conversávamos, Nuno cheirava café e tomava goles tão pequenos que pouco faziam descer o nível do líquido na xícara. Tentei impressioná-lo e resolvi também beber meu café vagarosamente, para mostrar que estava controlando minha ansiedade e já era uma pessoa mais calma. Consegui demorar três minutos para tomar meu café. Nuno tomou metade do seu durante nossa hora inteira de conversa. Eu ainda tinha muito que aprender...

Na hora de ir embora, Nuno me convidou a comer o doce maravilhoso. Mesmo eu, que não sou grande apreciador de doces, estava curioso para saber seu sabor. Quando peguei a bomba, Nuno me instruiu como agir:

— Pegue o doce, cheire-o e dê uma pequena mordida. Quando tiver o doce na boca, mastigue calmamente, utilizando os dois lados da boca. Deixe-o repousar agora sobre sua língua e respire vagarosamente pelo nariz. Faça isso para sentir de forma plena o gosto maravilhoso do que está comendo e assim explorar ao máximo a sensação de prazer que essa comida pode lhe dar. É por meio da respiração que sentimos o gosto das comidas. Você já deve ter percebido isso quando um resfriado mais forte, que bloqueou suas vias nasais, fez com que os alimentos perdessem o sabor. Respire enquanto come.

Aquilo fazia total sentido. Enquanto as pessoas imaginam que Nuno instrui seus alunos a comer como ruminantes e especulam sobre os mais loucos motivos para justificar essa prática, a razão é a mais nobre de todas: tornar a alimentação algo prazeroso. O único momento de prazer durante a alimentação, o único instante em que se sente o gosto da comida é enquanto ela está em nossa boca. Engolir o alimento é abrir mão desse momento de prazer.

Após comer o doce, Nuno foi mais além. Fez uma comparação daquele momento com vários momentos que temos na vida. Disse-me:

— O doce estava delicioso, não estava? Mas agora não está mais. A sensação de prazer, o gosto que o encantou, tudo já passou. Mas isso não tira o valor daquele momento. Na vida, os momentos são como o gosto desse doce. São especiais, maravilhosos, mas passam. Saiba viver plenamente cada momento. Abrace sem deixar mágoas ou problemas não resolvidos. Aproveite as conquistas, vitórias e até mesmo os momentos comuns. Viva-os intensamente, porque todos eles, sem exceção, vão passar, e depois que passarem serão apenas uma lembrança, como esse doce. Não podemos voltar atrás e sentir novamente uma sensação; todas são únicas. Resta-nos aproveitar enquanto elas acontecem e dedicar nossa atenção durante esses instantes inteiramente a elas.

Nuno concluiu:

— As pessoas dizem que eu proíbo meus alunos de comer isto e aquilo. Quanta bobagem. Esse doce não estava maravilhoso? Pois bem, por que eu vou tolhê-lo de comer algo maravilhoso? Não me preocupa quantas calorias tem esse doce. Preocupa-me que sua alimentação seja saudável como um todo, e isso não o impede de incluir nela alguns alimentos que tenham açúcar ou gordura. É claro que deve ser baseada em alimentos que forneçam o que seu corpo precisa para se desenvolver. Mas, mais do que isso, importa-me que sua vida inteira seja saudável, porque uma vida saudável vai ajudar a transformar sua alimentação em algo saudável.

Viver de forma prazerosa e saudável é a revolução proposta por **Nuno Cobra**.

Sincronismo

Em 2010, voltei ao curso de Monty Roberts. Fui questionado sobre os motivos do retorno, com o argumento de que o curso seria idêntico ao que já tinha frequentado antes.

Eu, porém, nunca pensei assim. Penso que cada cavalo é um ser único e tinha certeza que os novos cavalos apresentariam problemas e situações distintos daqueles que tinha presenciado anteriormente. E só isso já valia minha volta, pois sabia que teria muita coisa nova para aprender.

Mas havia algo a mais. Monty desenvolveu suas técnicas ao longo de quase setenta anos. Seria muita pretensão minha pensar que nos cinco dias do primeiro curso eu absorveria tudo que ele tinha para ensinar. Hoje sei que posso voltar pelos próximos dez anos e estarei ainda engatinhando em relação ao mestre.

Já no primeiro cavalo trabalhado algo totalmente novo aconteceu. Pela primeira vez em público, Monty procurou provar o que sempre pôde sentir empiricamente enquanto trabalhava seus cavalos: o fato de que cavalos são animais que sincronizam conosco.

Assim que o cavalo entrou no redondel, notei algo diferente. Um objeto parecido com um cinto circundava o corpo do animal na altura do peito. Era um monitor de batimentos cardíacos, e poderíamos, por meio dele, observar como a frequência cardíaca do cavalo variava enquanto Monty trabalhava com ele.

Monty também usava um monitor cardíaco preso a seu peito. A ideia era fazer duas constatações. A primeira, se seu método funcionava porque causava medo e tensão ao cavalo, ou se realmente acalmava o animal, propiciando que resultados surgissem a partir de uma relação de confiança, como Monty sempre acreditara. A segunda, verificar se existia alguma correlação entre os batimentos cardíacos de Monty e os batimentos do cavalo, ou seja, se de alguma forma os dois sincronizariam seu estado físico e emocional durante o processo.

Os batimentos do cavalo, que estavam próximo de 60 por minuto antes de atravessar a porta do redondel, subiram imediatamente para 80 quando ele entrou no picadeiro. Estar num ambiente diferente, com alguém novo, levava tensão ao animal. Monty então iniciou o processo de *Join Up* e colocou o cavalo para correr para os dois lados. Houve um aumento na frequência cardíaca do cavalo para níveis acima de 150 batimentos por minuto, fruto da atividade física e também do estresse para fugir do predador que enxergava na figura do treinador. Enquanto isso, os batimentos de Monty mantinham-se sempre na faixa dos 75 por minuto, muito baixo se considerarmos que estava também fazendo uma atividade física, resultado do excelente preparo físico desse *cowboy* de 75 anos de idade e da calma com que ele lida com os cavalos.

Quando Monty começou o processo de comunicação com o cavalo e adotou uma postura mais relaxada, os batimentos do animal foram baixando paulatinamente. E quando finalmente Monty virou-se, e o cavalo foi ao seu encontro, encostando a cabeça sobre o ombro dele, a frequência cardíaca do animal despencou. Ficou claro então que o cavalo achara uma zona de conforto e confiança junto ao adestrador.

O mais extraordinário, porém, ainda estava por vir. Após caminhar seguido pelo cavalo por cerca de um minuto, Monty começou a ler a informação de seu relógio, que mostrava sua frequência cardíaca. Surpreendentemente, a frequência cardíaca de Monty era absolutamente igual à do cavalo. E quem estava dizendo isto não era Monty ou seus auxiliares, era um instrumento objetivo e confiável, um monitor cardíaco.

Monty então acelerava um pouco o passo, de modo a fazer seus batimentos subirem, e os batimentos do cavalo subiam exatamente o mesmo. Quando Monty respirava mais profundamente, fazendo sua frequência cair, a do animal reagia da mesma forma. Um sincronismo perfeito, comprovado diante de todos nós.

Naquele momento, entendi completamente por que tive tanta facilidade para executar essa técnica quando cheguei de volta ao Brasil depois de minha primeira visita em 2009, e também por que muitas pessoas para as quais eu ensinava o método não conseguiam colocá-lo em prática.

A primeira condição para que o cavalo se sinta confortável e calmo, e com isso passe a segui-lo no redondel, é você também estar confortável e calmo. Caso contrário, seu estado de nervosismo, agitação ou medo vai se refletir num estado desconfortável para o cavalo, e, sincronizados na mesma frequência cardíaca e num estado emocional ruim, será impossível uma integração harmônica.

Várias pessoas para as quais ensinei o método não conseguiam manter um estado de calma dentro do redondel. Fosse porque estavam preocupadas com o que os outros pensariam se falhassem, fosse pelo medo de sofrerem algum tipo de acidente causado pelo cavalo, elas não conseguiam.

Nunca tive nenhum desses receios. Primeiro porque conhecia muito pouco sobre cavalos, então não precisava provar a ninguém que as coisas dariam certo, não havia reputação a manter. Qualquer resultado que conseguisse seria fantástico e surpreendente para um novato. Além disso, sempre me senti muito à vontade na presença de qualquer animal. Deus me deu o dom de não sentir medo nem desconforto perto deles. Sei reconhecer o perigo e sei me proteger. Mas medo, realmente, não sinto.

O fato de cavalos serem animais que sincronizam conosco tem outra implicação extraordinária, que só pude perceber depois de treinar a técnica com vários animais. Ter nossa imagem autêntica refletida pelo animal durante o treinamento é absolutamente fantástico. É como dispor de um espelho límpido e claro; significa ser apresentado a si mesmo de uma forma única.

Estamos acostumados a viver num mundo de aparências e interesses, o que não é necessariamente ruim ou bom, é apenas uma constatação. Muitas vezes, porém, isso nos impede de saber o que realmente inspiramos nas pessoas, ou quem realmente somos. Podemos ser desagradáveis, impacientes e até desinteressantes, mas, se por qualquer motivo for conveniente que sejamos bajulados, teremos a impressão de estar agradando a todos. No redondel isso não acontece. Se estivermos impacientes, os cavalos reagirão com impaciência. Se ficarmos nervosos, os cavalos também aumentarão seu nível de estresse e refletirão esse estado em seus gestos e atitudes. Essa realidade nos faz descobrir um estado emocional que aprendemos a esconder.

Quantas vezes nossos amigos nos alertam para sermos mais calmos ou pacientes e lhes respondemos que já somos assim, e que eles têm na verdade uma falsa impressão a nosso respeito. Somos mestres em enganar a nós mesmos, em esconder a verdade que nos incomoda. Ver minha imagem refletida nos cavalos ajudou a me tornar uma pessoa melhor — e isso já é o suficiente para ser eternamente grato a eles.

Nuno e o sincronismo

Assim como, para Monty, o sincronismo com os cavalos explica boa parcela de seu sucesso, penso que Nuno Cobra segue o mesmo caminho ao sincronizar com seus alunos.

Quando fui a seu escritório pela primeira vez, Nuno saudou-me com um forte abraço, como disse, o que por si já foi capaz de me acalmar. Estar diante dele é ser impactado serenamente por uma onda de tranquilidade, segurança e paz como nunca antes eu havia experimentado. É por meio desse sincronismo que Nuno leva seus alunos a alcançar o extraordinário.

Um dos exercícios que ele pede aos alunos é que se equilibrem em um fino cabo de aço. O aparelho é invenção dele. É um cavalete que possui duas mãos francesas que sustentam um cabo de aço esticado no topo: um tirante. O exercício consiste em apoiar um dos pés sobre o cabo de aço, olhar para um ponto fixo distante e tirar o outro pé do chão. Aparentemente simples, exige um sincronismo de todo o corpo que só percebemos não possuir após a primeira tentativa.

Para manter o equilíbrio é preciso coordenar os músculos de todo o corpo, compensando qualquer movimento que altere o equilíbrio com um movimento contrário, além de controlar a respiração e a mente. Uma respiração descontrolada, sem cadência e tensa inevitavelmente diminuirá o controle do corpo. Já uma respiração abdominal profunda, ritmada e calma levará o corpo a um estado de relaxamento e resposta aos estímulos muito mais propício ao equilíbrio.

Quanto à mente, o exercício nos treina a não pensar em nada. É surpreendente notar que imediatamente após pensar em algum assunto específico, perdemos nossa capacidade de equilíbrio e caímos do cabo de aço. Isso acontece porque a mente, que estava sendo exigida para sincronizar uma infinidade de músculos e membros, foi chamada a resolver outro problema, deixando o corpo sem um coordenador.

Esvaziar a mente é talvez um dos mais difíceis exercícios que podemos aprender. Quem consegue, desperta uma capacidade de atenção, concentração e foco que o deixa quilômetros à frente dos outros. Meditar, na maioria das vezes, tem exatamente esse propósito, e a técnica é sempre ocupar o espaço mental com algo que afaste todo e qualquer tipo de pensamento. Para isso, são utilizados artifícios como, por exemplo, repetir as mesmas frases — até que só elas ocupem a mente.

Nuno Cobra me contou que, quando Ayrton Senna era filmado nos momentos que antecediam a largada de suas corridas de Fórmula 1, seu semblante era extremamente calmo e demonstrava enorme concentração. O locutor da transmissão da corrida sempre especulava sobre o que estaria passando na mente de Ayrton naquele momento.

Segundo Nuno, a resposta era *nada*. Nada se passava na mente de Ayrton, ela estava absolutamente vazia, por isso tinha a capacidade extraordinária de realizar o que nenhum outro era capaz. Ayrton só conseguiu isso depois de muito treino, mas essa capacidade de concentração era um de seus grandes trunfos esportivos.

Quando se consegue o equilíbrio entre corpo e mente, atinge-se a capacidade de sincronia com os demais. Uma pessoa calma, equilibrada e com corpo e mente trabalhados não só passa aos outros uma impressão de confiança e tranquilidade, como tem a capacidade de influenciá-los a se tornar mais equilibrados. As pessoas, assim como a demonstração de Monty com o cavalo, também sincronizam.

Isso pode ser notado numa discussão. Como o controle que as pessoas têm sobre seu corpo e sua mente é normalmente frágil, basta que alguém eleve o nível de estresse para que o interlocutor se sinta também nervoso e passe a contribuir para uma discussão acalorada. Se este, porém, tiver autocontrole para se manter calmo, com a frequência cardíaca baixa, a respiração cadenciada e a mente serena, será capaz de levar o oponente a um estado mais tranquilo e acalmará a discussão.

O sincronismo explica também um pouco daquela sensação de intuição que temos com alguma frequência. Por várias vezes chegamos perto de alguém e sentimos algo estranho, que nos inspira medo, desconfiança ou desconforto. Posteriormente percebemos que a sensação era justificada, mas não entendemos como fomos capazes dessa percepção. A demonstração de Monty com o cavalo mostra-nos que o sincronismo entre dois seres pode ser muito mais forte e intenso do que jamais imaginamos. Nunca menosprezemos essa capacidade, ela pode ser útil como instrumento de percepção, conhecimento e até de defesa.

Beethoven costumava dizer que sua música tinha um grande poder sobre as pessoas. Podia fazer com que sentissem tristeza, alegria, excitação, nervosismo ou qualquer outra sensação. Bastava que deixassem que seu estado de espírito fosse levado pelas melodias. Ele parecia já compreender a natureza do ser humano, um animal, assim como os cavalos, sujeito à sincronia.

O respeito à individualidade

Antes de recomendar um nível de treinamento, Nuno Cobra examina criteriosamente cada aluno. Somos indivíduos únicos. Enquanto se considera homens com a mesma faixa etária seres semelhantes, Nuno importa-se com a máquina orgânica que move cada um de nós. E tem como avaliar condições que podem, por exemplo, ser completamente diferentes em dois indivíduos que nasceram no mesmo dia e têm o mesmo peso.

Essa análise individualizada permite que ele indique um programa de treinamento adequado, que se mostra ao mesmo tempo confortável e eficaz. Mas o respeito à individualidade do aluno não se restringe apenas à carga ou à frequência cardíaca durante o exercício. Entender a individualidade do aluno vai muito além disso. Significa respeitar os medos, traumas, hábitos e limites individuais. Representa traçar um caminho e buscar uma linha de suporte e apoio para as necessidades específicas de cada um. Buscar as peças que faltam do quebra-cabeça para tornar aquele indivíduo um ser completo, feliz, saudável, capaz de vencer obstáculos e alcançar o desenvolvimento físico e mental.

É impossível dar a mesma dieta a dois indivíduos e esperar que a resposta seja igual. É também injusto esperar que indivíduos diferentes mudem seus hábitos de alimentação, sono ou exercícios na mesma velocidade. E exigir que isso aconteça desrespeitando as diferenças pode ser o suficiente para tirar alguém do caminho e fazê-lo desistir. Nuno sabe disso e trata seus alunos entendendo quem são e o momento que vivem.

Vejo pais que forçam os filhos ainda muito novos a dar os primeiros passos, a pronunciar as primeiras palavras, a montar os primeiros blocos de brinquedos para que possam comparar seus feitos com os de outras crianças de idade semelhante. Fazer isso é desrespeitar a individualidade dos filhos, e, com isso, não só atrasam seu desenvolvimento como também criam bloqueios e traumas que perduram por toda a vida. Não conheço criança alguma sem problemas motores ou vocais que, em algum momento, não tenha aprendido a falar ou a andar. Esperar que o momento certo chegue significa deixar que seu filho aprenda a conhecer e a superar seus limites, e assim habituar-se a vitórias e conquistas desde cedo.

Lembro-me de quando era atleta do time da Universidade de San Diego, na Califórnia. Tinha 20 anos e competia nas provas de 100 e 200 metros rasos e no revezamento 4 x 100 metros. Apesar de ser muito rápido e de estar entre os melhores velocistas da faculdade, nunca me saía bem nos treinos de resistência. Um dia meu treinador me disse:

— Eduardo, seu problema é que você tenta treinar no ritmo dos seus colegas. Cada um de vocês tem uma característica. Um é melhor nos treinos de resistência, outro nos treinos de velocidade, outro ainda nos treinos de força. Mantenha seu ritmo individual, não se preocupe com os outros e respeite seus limites. Isso o fará treinar mais calmo e o ajudará a alcançar resultados melhores num tempo mais curto.

Poucos meses depois, eu estava na competição de Riverside, cidade próxima a Los Angeles, batendo o recorde da temporada de 1996/1997 da prova de 4 x 100 metros rasos com a equipe da UCSD. Ouvir o conselho do meu técnico e entender que meu tempo era diferente do tempo dos outros foi uma lição que guardo até hoje para tudo o que faço.

Monty Roberts talvez seja o indivíduo que mais respeita a individualidade dos seres humanos e dos animais. Monty adotou seu primeiro filho aos 22 anos. O termo certo talvez não seja adotar, mas sim acolher. Monty inscreveu-se num programa americano em que crianças e adolescentes com problemas de toda ordem eram-lhe entregues pela Justiça para que ficassem em sua casa por determinado período. São tratados como filhos, por isso recebem o nome de *foster kids*. Além de seus três filhos biológicos, Monty teve ao longo dos anos um total de 52 *foster kids*.

Ele se recorda da primeira filha que recebeu desse programa. Uma menina adorável nos primeiros anos da adolescência. Aprendia as coisas com facilidades, era respeitosa, ouvia seus conselhos e nunca deu trabalho nenhum para Monty e sua esposa, Pat. Com base na primeira experiência, Monty imaginou que teria sempre crianças e adolescentes com aquele perfil e animou-se com a possibilidade de ter novas experiências como aquela.

O futuro lhe mostrou que a menina foi a mais calma e perfeita criança com quem teve contato, e também que cada uma das outras 52 crianças era absolutamente única, e precisava de cuidados e atenção especiais, sempre de uma forma absolutamente diferente de todas as outras. Os *foster kids* mostraram a Monty que não existe fórmula para educar a não ser respeitar os limites de cada indivíduo e buscar extrair o máximo de seu potencial, estimulando as atitudes boas e desestimulando as más.

Permanecer durante dois anos seguidos com Monty foi muito educativo para mim nesse sentido. Ele trabalhou dezenas de cavalos nesses cursos, e posso afirmar que nunca o vi repetir a mesma sequência de gestos ou técnicas. Monty sempre respeitou também o tempo de cada cavalo. Apesar de dizer que a média de tempo para realizar um *Join Up* é de quatro minutos, e a média de tempo para pôr o primeiro cavaleiro montado sobre um cavalo xucro seja de 27 minutos, Monty espera sempre que cada cavalo lhe diga quando está pronto. É melhor que um cavalo demore 20 minutos para realizar um *Join Up*, mas que o faça de forma a garantir sua confiança e seu respeito, do que forçá-lo a fazer em quatro minutos algo que nada represente.

Talvez esse seja outro motivo pelo qual muitos alunos dos cursos de Monty não são bem-sucedidos em aplicar seus métodos quando retornam para casa. Todos se preocupam em memorizar as técnicas e os gestos de Monty, e tentam replicá-los de forma idêntica em seus cavalos. O problema é que os cavalos que Monty trabalha em seus cursos são indivíduos únicos, absolutamente distintos de quaisquer outros com que venhamos a ter contato em nossas vidas. A sequência de atos que funcionou naqueles cavalos provavelmente não é a mesma que funcionará em outros animais.

Daí minha preocupação durante os cursos em entender o conceito e a filosofia do método. Estes, sim, podem ser aplicados a qualquer cavalo. A técnica, os gestos, as manobras são consequências desse conceito, dessa filosofia, e devem ser adaptados às diferentes situações.

Quando visitei a Sociedade Hípica Paulista após minha primeira viagem ao curso de Monty, fui convidado a conhecer o trabalho que desenvolviam com os praticantes da equoterapia. Lembro-me de que fui para um mezanino em frente ao picadeiro coberto onde as aulas aconteciam e levaram os cavalos para que eu pudesse vê-los e opinar sobre seus problemas comportamentais.

Um dos primeiros animais foi uma égua negra, alta e muito forte. Tinha, segundo o instrutor que a trazia, aproximadamente 18 anos e era uma das mais apreciadas daquele grupo de animais. A égua apresentava, porém, um sério problema, pois não podia ser tocada na barriga que ficava muito incomodada, tendo reações que poderiam causar situações perigosas.

Pedi então que o instrutor me mostrasse o problema para que eu pudesse avaliar. Ele encostou as costas da mão esquerda na barriga da égua, que imediatamente se sacudiu e virou a cabeça em direção ao instrutor. Ele, por sua vez, assustado com a reação do animal, afastou a mão.

Os alunos que estiveram comigo no curso de Monty Roberts provavelmente diriam que com uma vara com sacos plásticos presos na ponta, um redondel, um cabresto especial e depois de realizarem um *Join Up*, conseguiriam resolver aquele problema. Eu não tinha nada disso naquele momento, mas sabia que podia resolver o problema mesmo assim. Afinal, mais importante que os equipamentos e as técnicas eram os conceitos que Monty desenvolveu, e estes me acompanhavam sempre, registrados em minha mente.

Aqueles que prestaram atenção em seus ensinamentos aprenderam que há quatro partes do corpo dos cavalos que são mais sensíveis: as pernas, a garupa, a barriga e o pescoço. Isso acontece por causa do seu instinto de sobrevivência, pois é nessas partes que os predadores costumam atacá-los.

As cobras normalmente atacam nas pernas; grandes felinos costumam atacar na garupa, saltando sobre o corpo dos cavalos para derrubá-los. Já os pumas e outros pequenos felinos costumam atacar no pescoço, imobilizando-os e interrompendo-lhes o fluxo sanguíneo. Cachorros-do-mato e lobos costumam atacar na barriga, causando ferimentos que deixem as vísceras expostas, para que os cavalos percam as forças e morram, tornando-se alimento para a matilha.

Aquela égua estava apenas seguindo o instinto básico de todo e qualquer animal, tentando sobreviver ao ter sua barriga tocada. Por isso se sacudia e virava o rosto em direção a quem a tocava. O problema é que, ao longo de seus 18 anos, todas as vezes que fora tocada na barriga e tivera essa reação, a pessoa que a tocava imediatamente tirava a mão e se afastava. PIC! *Positive Immediate Consequence* (consequência imediata positiva). Ter essa reação fazia aquele que a estivesse tocando se afastar, o que na cabeça do animal era uma recompensa. Estavam, portanto, durante esse tempo todo, ensinando-a a agir de forma agressiva todas as vezes que fosse tocada na barriga.

Ao notar, porém, que a reação da égua não representava ameaça maior ao instrutor, uma vez que, apesar de impulsiva, a reação não era seguida de nenhum ato violento, como uma tentativa de mordida ou coice, pedir a ele que novamente encostasse a mão de leve na barriga da égua. Quando ele atendeu ao meu pedido, a égua ameaçou ter a mesma reação. Eu imediatamente pedi a ele que não tirasse a mão, que a deixasse encostada na barriga da égua e permitisse que ela se sacudisse e virasse o rosto.

A égua ficou naquele estado por alguns segundos, então foi relaxando, até que voltou a cabeça para a frente e parou de se sacudir. Nesse exato momento pedi que ele tirasse a mão da barriga da égua e que a acariciasse entre os olhos. PIC! A recompensa positiva agora era dada para a reação boa, não para a ruim. Eu esperava assim que a égua associasse o fato de se acalmar e voltar a cabeça para a frente à mão deixando sua barriga.

Pedi então que o instrutor encostasse novamente a mão na barriga da égua. Desta vez ela se sacudiu menos e pouco virou a cabeça para trás. Orientei-o então a manter a mão encostada até que ela relaxasse por completo e voltasse à posição inicial. Poucos segundos depois ela estava novamente calma; então solicitei que ele tirasse a mão e novamente fizesse um carinho entre os olhos da égua.

Na terceira vez que esse procedimento se repetiu, quando o instrutor encostou a mão na barriga da égua, veio a surpresa. Nenhuma reação. Ela permaneceu calma enquanto ele encostava e acariciava sua barriga. Todos olhavam pasmos. Como era possível que aquela égua que durante 18 anos demonstrara um hábito agressivo e ameaçador em três minutos perdesse por completo esse hábito? Aquilo parecia mágica aos olhos de quem assistia.

Para eles encantamento, para mim a aplicação dos conceitos de Monty. Conceitos que se sobrepõem à técnica. Que, ao serem entendidos, são capazes de fazer com que qualquer cavalo, com qualquer problema, em qualquer lugar do mundo, possa ser trabalhado por quem os entende.

Após aquela simples demonstração, fui convidado a dar meu primeiro curso para uma turma de professores e instrutores de equoterapia da Sociedade Hípica Paulista.

A confiança no método

Era junho de 2010 quando fui chamado pela coordenadora da escola de equoterapia para ministrar meu primeiro curso das técnicas que havia aprendido com Monty Roberts. Fiquei muito honrado e empolgado com a ideia de poder passar adiante aquilo que aprendera em Solvang, na Califórnia, mas ao mesmo tempo sabia da grande responsabilidade. Falhar significava não só fazer com que as pessoas me vissem como alguém incapaz de lidar com cavalos com problemas, mas também pôr em dúvida a eficácia do método de Monty Roberts.

É claro que eu era apenas um discípulo, ainda nos primeiros passos de um longo processo de aprendizado, mas para as pessoas do curso eu era seu representante no Brasil. Para eles tudo era novo, e para aceitar que o novo podia substituir o antigo, a primeira coisa que exigiriam era que aquilo funcionasse. Pensando nisso, tomei uma decisão que até hoje mantenho em todos os meus cursos e apresentações. Que não cobraria nada por meu trabalho.

Isso me deixaria à vontade para trabalhar, e assim poderia concentrar-me apenas no que era importante: os cavalos. Com essa atitude, também mostraria aos presentes que não estava ali por dinheiro, mas pela missão de disseminar uma nova maneira de ver a relação entre homens e cavalos, e, dessa forma, propor um modo diferente de encarar a vida.

O curso seria ministrado durante quatro domingos seguidos, das 8h até as 11h da manhã. Começaríamos o curso com uma breve discussão teórica na sala de aula, de lá iríamos ao redondel trabalhar os cavalos e, por fim, retornaríamos à sala de aula para conversar sobre o que havíamos visto no redondel. A coordenadora do curso perguntou de quantos cavalos eu precisaria no primeiro dia de curso, e pedi que ela separasse três, número suficiente para demonstrar a técnica do *Join Up*.

Na data prevista, cheguei pontualmente no horário combinado e a coordenadora me levou ao local onde os cavalos estavam para mostrar o primeiro com o qual eu trabalharia naquele dia. Era um cavalo alazão, forte e provavelmente utilizado para saltos. Quando lhe perguntei quais eram os problemas daquele animal, me disse:

— Esse é o mais tranquilo dos três. Tem apenas o hábito de morder, não se deixa ser ferrado, é muito arisco e costuma dar coices.

Uau! Esse era o mais tranquilo? Em dúvida se queria ou não saber o que viria em seguida, continuei:

— E os outros dois, onde estão?

— Não estão aqui agora, mas já foram pegá-los — respondeu ela. — O segundo será o Cabral, um cavalo que acabou de chegar à hípica. É muito forte e está nos dando muito trabalho. Não se adaptou ainda, e estamos tendo dificuldades em lidar com ele.

Com o semblante ainda mais preocupado, ela continuou:

— E o último cavalo é o Pierrot. Ah!, o Pierrot... Esse é o cavalo mais perigoso da Hípica Paulista. Uma vez quase matou uma pessoa que entrou em sua baia. Todos aqui têm pavor dele, e sua fama é mais do que reconhecida. É um cavalo extremamente forte e tem os piores hábitos que um cavalo pode ter. Morde, chuta, ataca e é muito malvado.

Tal cenário, para um rapaz que não lidava com cavalos desde os 15 anos de idade e que acabara de voltar de um curso na Califórnia, onde apenas observara uma pessoa demonstrando suas técnicas, era no mínimo assustador. Como eu lidaria, em vista de minha pouquíssima experiência treinando a técnica de Monty Roberts nos cavalos da minha fazenda e de propriedades vizinhas, com o cavalo mais perigoso e maldoso do principal centro equestre da América Latina?

Lembrei-me, porém, de duas coisas que Monty sempre dizia durante seu curso. A primeira era que não existem cavalos malvados. Existem cavalos que se tornaram agressivos ou perigosos em consequência da maneira como foram tratados. E esses cavalos são os que mais precisam da ajuda de alguém que os entenda e que possa se comunicar na língua que compreendem. A outra era que já havia lidado com mais de 70 mil cavalos em sua vida em todos os cantos do mundo e nunca sua técnica havia falhado. Então, procurei convencer a mim mesmo de que aqueles cavalos não eram malvados, a técnica nunca falhara e eu havia estudado o suficiente para aplicá-la. Decidi seguir em frente.

Após a breve discussão teórica, dirigi-me ao redondel e pedi que trouxessem o primeiro cavalo, aquele alazão que fora apresentado a mim alguns momentos antes.

Quando o cavalo entrou no redondel, tomei um susto. Era muito maior do que eu imaginava. Muito mesmo, quase o dobro do que eu vira havia poucos instantes. Talvez eu estivesse com essa impressão pelo fato de estarmos agora eu e ele sozinhos no picadeiro. Quando o tratador que o trouxe até o redondel me entregou o cabo que estava preso ao seu cabresto e deixou-nos a sós, resolvi fazer um carinho em sua testa para acalmá-lo um pouco, já que sua respiração era forte e apressada. Mal consegui alcançar sua testa, de tão alto que era. E não sou baixo, tenho 1,85 metro.

Levei então o cavalo para perto do muro do redondel e o soltei para que pudesse correr ao seu redor. Fiquei assustado com o que vi. O cavalo saltava a alturas enormes, desferia coices que ultrapassavam a altura do muro do redondel, de mais de 2 metros, roncava como um cão feroz e virava-se em minha direção, ameaçando me atacar. A primeira coisa que pensei foi: "Meu Deus! Se o primeiro é assim, imagine o Pierrot... Sou um homem morto."

Decidi me acalmar e fazer aquilo que sabia. Pelo menos no primeiro dos três cavalos eu tinha de conseguir aplicar as técnicas de Monty. Era o mais fácil dos três, e não era possível que eu não estivesse pronto para ele.

Concentrei apenas no cavalo, adotei uma postura firme, confiante, e passei a agir como se fosse o próprio Monty, me baseando em seus conceitos e desenvolvendo suas técnicas com o cavalo que estava ali comigo. Minha mudança de atitude foi imediatamente notada pelo animal, que deixou de adotar a postura agressiva e passou a apenas correr ao redor do picadeiro, com uma intensidade porém ainda muito alta. Após algumas voltas o cavalo foi baixando seu nível de energia, e começamos a desenvolver certo grau de comunicação. E, à medida que ela aumentava, fui me sentindo mais seguro de que estávamos finalmente estabelecendo uma relação de confiança.

Quando todos os sinais haviam sido demonstrados, fiquei de costas no centro do redondel, abaixei a cabeça e relaxei os ombros. O cavalo virou-se vagarosamente em minha direção, deu passos cadenciados e calmos até que seu focinho encostou em meu ombro. Virei-me devagar e acariciei-lhe a testa. Virei de costas novamente e segui em direção ao outro lado do redondel. O cavalo passou então e me seguir, junto ao meu ombro, sem que nada estivesse nos prendendo a não ser a relação que havíamos estabelecido.

Quando olhei para os alunos do curso a surpresa. Estavam todos chorando, observando a cena, incrédulos. Confesso que fiquei admirado. Realmente aquilo fora fantástico, emocionante, mas nunca tinha visto uma reação tão emocionada. Devia ser porque era a primeira vez que viam alguém realizar a técnica do *Join Up* com um cavalo, imaginei.

Fomos então para o segundo cavalo, o Cabral. Apesar de arisco e um pouco arredio, com ele foi muito mais tranquilo do que com o primeiro, o que me fez pensar que na verdade eu estava agora mais confiante e por isso tudo havia sido mais fácil.

Quando chegou a hora de trabalhar o terceiro cavalo, o Pierrot, disse aos alunos que estava quase na hora de finalizar a aula e que não havia tempo para continuar. Deveríamos voltar para a sala a fim de discutir o que havíamos aprendido. A verdade era que dois cavalos já tinham sido o suficiente. Eu não queria arriscar trabalhar o cavalo mais perigoso da Hípica Paulista depois de ter visto como aqueles animais podiam ser perigosos.

Assim que saí do redondel, a coordenadora do curso me chamou a um canto e disse:

— Eduardo, preciso contar uma coisa. Tenho de lhe pedir desculpas por ter feito algo sem ter avisado. Eu estava com medo de não termos tempo hoje de trabalhar os três cavalos, e todos queriam ver se você seria capaz de lidar com o Pierrot, considerado o cavalo mais perigoso da hípica. Temendo não termos essa oportunidade hoje se o deixássemos por último, troquei o primeiro cavalo pelo Pierrot sem avisar. Portanto, aquele primeiro cavalo que você trabalhou foi o Pierrot, não o alazão que você viu mais cedo na cocheira.

Aquilo era incrível. Eu tinha acabado de lidar com o cavalo mais perigoso da hípica com sucesso absoluto. Por não saber que era, talvez, impossível, tinha ido lá e feito! A confiança no método me fez realizar uma proeza que profissionais com anos de experiência não conseguiam. Pierrot foi o cavalo que mais me marcou em toda a caminhada percorrendo o aprendizado de Monty. Ele me deu a confiança de que eu precisava para seguir em frente. Depois de Pierrot, passei a acreditar que seria capaz de lidar com qualquer cavalo, em qualquer canto do mundo, desde que respeitasse o método e os princípios de Monty. Após as quatro aulas do curso, Pierrot se tornou o cavalo mais manso e mais dócil comigo de todos aqueles com os quais trabalhei.

Monty mais uma vez estava certo, não existem cavalos malvados.

Cafés com Nuno

Os cafés com Nuno Cobra são na verdade um banho no espírito. Só quando se convive com este revolucionário preparador físico é que se percebe que ele é muito mais do que apenas um preparador físico. Em nossas conversas no pequeno bar perto de seu escritório, sentia estar ao mesmo tempo com um preparador físico, um orientador de carreira, um nutricionista e um psicólogo. Ver seu aluno como um ser que só tem bom desempenho quando está bem em todos os aspectos é talvez o que faz de Nuno um forjador de campeões. Somente depois dessas conversas com ele é que eu pude perceber o sentido da expressão "de alma lavada".

Numa dessas reuniões, minha mente estava longe, vagando por problemas pessoais cuja solução eu estava ainda longe de encontrar. O que mais me preocupava não eram os problemas em si, mas como lidar com o julgamento dos outros em relação à solução que eu daria para esses problemas. Minha intuição dizia que a melhor solução seria também aquela que meus amigos e familiares mais reprovariam. O que fazer? Ouvir os outros e seguir o caminho mais fácil, ou buscar a felicidade remando contra a maré? Expressei minha dúvida para Nuno e expliquei meu dilema. Colocando seu chapéu de orientador, ele disse:

— Eduardo, gostaria que você se lembrasse dos primeiros dias de treinamento. Lembro-me de ter passado um treino que lhe parecia extremamente fácil e tenho certeza de que você se surpreendeu quando lhe disse que aquele treino seria o suficiente para iniciar o processo que o levaria a alcançar um preparo físico e mental como nunca havia tido em sua vida. Se você pedisse a opinião de outros preparadores físicos, de professores de academias, de atletas de ponta ou mesmo de médicos de grande reputação sobre o treinamento, provavelmente quase todos afirmariam que aquela não era a melhor maneira de atingir um preparo físico ideal.

E continuou:

— Tenho certeza de que, no início de suas caminhadas no parque do Ibirapuera, sentia-se incomodado com o ritmo que lhe propus, pois todos o ultrapassavam. Imagino também que não fazia sentido para essas pessoas ver alguém com seu porte e sua aparência atlética caminhando naquela velocidade. Deviam pensar que seu treinamento não o levaria a lugar algum. No entanto, o que você pode perceber foi que nunca em sua vida os resultados surgiram de uma forma tão eficiente, pois você os estava alcançando numa velocidade incrível e num nível de desgaste físico muito menor do que antes. Todos estavam errados e você estava certo. E o que fez você seguir em frente, mesmo quando tudo parecia encorajá-lo a não fazê-lo, foi a confiança no método, a crença de que a minha proposta era a melhor para você.

Então concluiu:

— Da mesma forma, em relação a esse seu problema, dê um peso menor à opinião dos outros e um peso maior ao que você acha correto. É claro que espero que você avalie bem o problema, busque compreender a solução que lhe traga mais felicidade, mas, depois de tomada a decisão, faça como na caminhada pelo parque, confie no que está fazendo e acredite que os resultados serão melhores assim.

*

Tanto as técnicas que aprendi com Monty como as que Nuno me ensinou representaram um grande desafio para mim. Ambos são pessoas que quebraram os paradigmas das áreas em que atuam, por isso, seguir seus métodos significa enfrentar a resistência do senso comum. Os resultados que obtive, porém, me mostraram a importância de confiar na escolha que foi feita e seguir em frente, fiel a essa escolha.

Uma lição que aprendi é que somos inteiramente responsáveis pelas nossas escolhas. Se optarmos por seguir o que os outros sugerem em detrimento de nossas crenças

Eu e Monty Roberts.

No centro de treinamento de Monty Roberts.

Dia da conclusão de meu primeiro curso com Monty.

Conversas de Monty com os alunos durante os almoços em seu curso.

Eu e as corças no quintal da casa de Monty Roberts.

Pat Roberts, Shy Boy, Monty e eu.

Monty Roberts.

Realizando um *join up* inédito durante o curso de Monty.

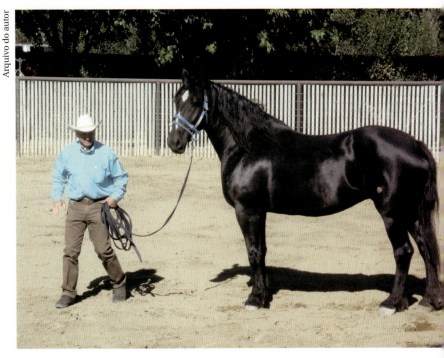

Monty em ação com um cavalo enorme durante seu curso.

Monty Roberts preparando o famoso cavalo Shy Boy para mim antes de um passeio pelas montanhas da Califórnia.

Monty Roberts trabalhando um cavalo em minha fazenda.

Monty Roberts e seu cavalo Chrome.

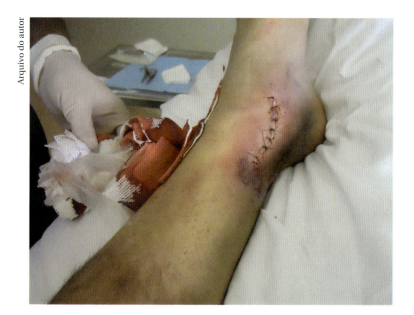

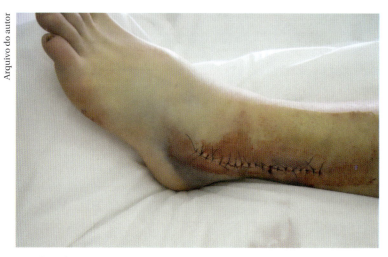

Detalhes do meu pé depois do acidente que resultou na fratura de sete ossos do pé e da perna esquerdos.

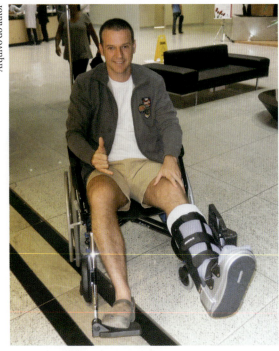

Saindo do hospital Albert Einstein após a cirurgia.

Redescobrindo a relação com meu filho após o acidente.

Eu e Nuno Cobra.

Eu, ao lado de Nuno Cobra, realizando uma oitava na barra.

Realizando um exercício que exige enorme força.

Treinando nas barras paralelas.

Nuno e seus pupilos durante um de seus treinamentos.

Nuno Cobra realizando uma oitava com perfeição com seus mais de 70 anos.

Pupilos de Nuno.

Treinando com Nuno no dia em que se completou um ano de meu acidente. Note que meus pés não tocam o chão.

Em um ginásio de ginástica olímpica treinando novos movimentos.

Durante um dos cursos que ministrei depois de voltar da fazenda de Monty.

Durante um *join up*, gesticulando na linguagem dos cavalos.

Johnny Duarte

Não é apenas com cavalos
que me relaciono.

Momento do *join up* com três cavalos diferentes em meus cursos.

Com um cavalo em um de meus cursos.

Realizando um *join up* com um jacaré, numa região inóspita do Pantanal, em meio a milhares de outros jacarés.

Interagindo com um de meus cavalos.

Johnny Duarte

No sítio, trabalhando um de meus cavalos: momento da comunicação.

Com um de meus cães (tenho mais de 15).

Arquivo do autor

Francisco, meu filho,
sendo criado junto a Red Bull,
seu melhor amigo.

Arquivo do autor

Com Monty no programa *Estrelas*,
da apresentadora Angélica.

corremos o risco de mais adiante na vida percebermos que tal escolha nos tornou infelizes. E nesse caso não adiantará nada cobrar esses amigos pela opinião que nos deram. O máximo que receberemos será um pedido de desculpas, o que não trará nem o tempo nem a felicidade de volta.

Isso não quer dizer, entretanto, que devamos ficar cegos ao que os outros nos mostram, ou deixar de ouvir o que têm a dizer. É importante reunir todas as informações possíveis para fazer nossas escolhas. Mas, depois da decisão tomada, é melhor acreditar nela e buscar a felicidade, mesmo que isso signifique contrariar o senso comum. Acreditar nos métodos e nas escolhas que fiz ao me tornar aluno de Monty Roberts e Nuno Cobra me mostrou que a boa opção é a que nos torna melhores e mais capazes, não a que atende o julgamento dos outros.

Pragmatismo

Monty Roberts, tenho dito, é mundialmente conhecido como "O homem que ouve cavalos". Muitos também o chamam de "Encantador de cavalos", tradução livre de *"Horse Whisperer"*, por causa do filme estrelado por Robert Redford. Na verdade, o termo *"Horse Whisperer"* surgiu no início do século XX, em apresentações em que cavalos problemáticos eram levados para trás de um palco e trazidos de volta após um curto intervalo de tempo sem apresentar mais o problema que tinham anteriormente. O que acontecia atrás do palco era um mistério para os espectadores. Envolvia, claro, atos violentos que deixavam o cavalo apavorado de cometer novamente os mesmos erros. Mas acreditava-se que eram as palavras sussurradas ao ouvido do cavalo que tinham o poder de enfeitiçá-lo, por isso as pessoas que faziam tais apresentações eram conhecidas como os Sussurradores de Cavalos (*"Horse Whisperers"*).

Quando conheci Monty e pude presenciar o que fazia com os cavalos, tive certeza de estar diante de alguém muito especial. Alguém que tinha dons e habilidades que fugiam daquilo que eu podia explicar ou entender. Era como assistir a um filme de ficção científica fora da tela do cinema, diante dos meus olhos. Não duvidava da capacidade de Monty de se comunicar com os cavalos e imaginava como seria fantástico ter essa habilidade.

Novos cavalos eram levados para o redondel dia após dia durante o período do curso, todos com problemas seriíssimos, e Monty sempre conseguia encontrar soluções para seus traumas. Ele sempre especulava sobre o que teria acontecido com aquele cavalo para deixá-lo daquele jeito. Um cavalo, por exemplo, que não se deixava ser tocado na cabeça levava-o a pensar que tinha sido vítima de maus-tratos nessa parte do corpo, como ser imobilizado tendo a orelha torcida ou com um cachimbo apertando as narinas. Outro animal que não se permitia ser tocado pelo saco plástico na garupa provavelmente sofrera fortes golpes de chicote quando era montado. E assim ouvíamos varias histórias contadas por Monty, especulando sobre o que tinha levado aqueles animais aos traumas que apresentavam.

Certo dia, quando um dos animais era trabalhado, Monty fez um gesto que assustou o animal, fazendo-o adotar uma postura agressiva. Momentos depois, uma aluna perguntou se o gesto de Monty teria levado o cavalo a pensar que ele na verdade ia pegar um objeto para feri-lo, ou que o gesto em si pudesse machucá-lo, associando-o com alguma situação vivida anteriormente.

A resposta de Monty foi surpreendente:

— A verdade é que não tenho como saber o que o cavalo pensou quando fiz o gesto. Mais do que isso, pouco me importa saber o que ele pensou, menos ainda especular sobre o fato. Digo isso porque mesmo que discutamos aqui hipóteses sobre o que se passou por sua cabeça, nunca saberemos se nossa conclusão corresponde à realidade ou não. Não temos como invadir seus pensamentos para saber o que se passou realmente.

E continuou:

— Minha preocupação é agir a partir das reações do cavalo. Estimulando-o a adotar as reações que desejo por meio de recompensas, e rejeitando as reações indesejadas por meio de estímulos negativos. Agindo assim, alcançarei meu objetivo, que é livrá-lo dos demônios que hoje o atormentam. E isso fará com que eu tenha um cavalo livre de traumas, divertindo-se com seu dono e habilitado a realizar tarefas que hoje não consegue.

Aquele pragmatismo era assustador. Eu tinha certeza de que Monty conseguia resolver os problemas dos cavalos porque pensava e falava como eles. Monty na verdade é capaz de ouvi-los. É também capaz de falar sua língua. Mas seu método consiste em agir sobre bases concretas. Algo muito mais científico, cartesiano e lógico do que eu imaginava. E isso fazia toda a diferença. Se o método de Monty não dependia de dons extraordinários, eu também seria capaz de aplicá-lo. Eu ou qualquer outro que resolvesse aprender o método e passasse a agir também de forma pragmática e coerente com suas diretrizes.

Mas o pragmatismo de Monty vai além. Um dia, quando perguntado se acreditava que cavalos teriam sentimentos como amor, por exemplo, por nós, seres humanos, ele novamente me surpreendeu.

— Sinceramente, acho muito pouco provável que os cavalos sintam amor por nós, humanos. Acredito que possam se sentir seguros ao nosso lado, que possam se sentir calmos e alegres, mas não creio que desenvolvam uma relação afetiva conosco. Não digo que não nos reconheçam, pois isso é algo que pode ser comprovado cientificamente. Pelo olfato, pela audição e mesmo pela visão, são capazes de reconhecer alguém com quem já tiveram contato e mesmo associar essa lembrança a algo bom ou ruim, o que para mim é diferente do que chamamos de amar.

Essa afirmação perturbou alguns alunos que assistiam a seu curso. Aquelas pessoas tinham viajado milhares de quilômetros, provenientes de todos os cantos do mundo, para conhecer alguém famoso por tornar a relação entre homens e cavalos algo completamente novo e especial. Todos eram apaixonados por cavalos e tinham certeza de que seus animais também eram apaixonados por eles. Alguns chegaram a ficar irritados com o que tinham acabado de ouvir.

O que eles não percebiam é que essa opinião expressava uma das maiores demonstrações de amor que presenciariam em toda a sua vida. O amor verdadeiro não requer nada em troca, é incondicional. A pergunta que deveriam fazer naquela hora era: "Como pode uma pessoa dedicar toda a vida a uma causa, amando com todo o coração cada cavalo com que teve contato, viajando a todos os cantos do mundo com o propósito de banir a violência contra esses animais, mesmo sabendo que nunca receberia em troca o amor que dedicava a eles?"

Vi naquele momento a pessoa única que Monty era. Ele alcança seus objetivos com os cavalos porque os trata como cavalos. Cavalos são felizes quando vivem como cavalos, afinal, essa é sua natureza. Cavalos que fazem truques como cachorros, que afagam seus donos e os lambem, ou que realizam tantas outras proezas não estão levando vida de cavalo e dificilmente são felizes. Monty ama os cavalos pelo que são, respeita sua natureza e o espaço que precisam ter, sabe de suas limitações e, por causa disso, entende a natureza desses animais como jamais alguém entendeu. Por tudo isso, recebe dos animais, se não amor em retribuição, uma relação de confiança e uma amizade única e bela.

Quando visitei Nuno Cobra pela primeira vez já fazia mais de cinco meses que eu era atormentado por uma fasciite plantar crônica, como contei. Essa lesão corresponde a um processo inflamatório na fáscia plantar, situada na sola dos pés, responsável por ligar os dedos ao calcanhar, e pode ter diversas causas. No meu caso, acredito que tenha sido causada pelos meses seguidos pulando corda nos meus treinos de boxe.

Já havia tentado de tudo para curar a lesão. A dor era insuportável e, nos dias mais frios, ao acordar, era difícil até mesmo caminhar com o peso do corpo sobre o pé machucado. Eu já tinha consultado mais de um médico ortopedista e tentado diversos tipos de tratamento.

Os médicos começaram com o tratamento mais simples, administrando anti-inflamatórios orais por períodos curtos para ver qual seria a reação do organismo. O resultado foi praticamente nulo. Passaram então para injeções intramusculares com corticoides para ver se a resposta seria melhor. Novamente houve apenas pequenos avanços. Passamos então para injeções de corticoides diretamente na região lesionada, o que era extremamente incômodo. Era difícil aceitar que para melhorar de uma dor na sola do pé eu tivesse de tomar uma injeção com uma agulha enorme na mesma sola do pé sem anestesia. Era como imaginar que para curar uma dor de cabeça me dessem uma martelada no crânio. Mas a dor era tão forte que decidi tentar.

Infelizmente, o alívio durou apenas alguns dias, e logo depois eu estava com a mesma dificuldade de caminhar. Tentamos então a última, mais sofisticada e obviamente mais cara das soluções. Um método muito recente de tratamento chamado de PRP — Plasma Rico em Plaquetas. O método consiste em retirar o próprio sangue, colocá-lo numa centrífuga de altíssima velocidade, de modo a separar o plasma sanguíneo dos glóbulos vermelhos, e reinjetar o plasma a fim de regenerar os tecidos lesionados. Realizei o procedimento, dessa vez em um centro cirúrgico, com a presença de dois médicos, e o resultado novamente foi imperceptível. Dali em diante, segundo o médico, apenas uma cirurgia seria capaz de trazer algum resultado.

Quando falei a respeito do problema da fasciite com Nuno, achei que ele me apresentaria alguma teoria maluca sobre como curá-la. Ou mesmo viesse com alguma explicação diferente sobre os reais motivos que teriam ocasionado a lesão. Afinal de contas, todos me alertavam que seus métodos beiravam o esoterismo, de tão incomuns e estranhos. O comentário de Nuno seria surpreendente se não tivesse sido tão simples:

— Eduardo, o que você tem é uma lesão que nada mais é do que um sinal de seu corpo de que a carga de esforço que você está colocando em seu pé é maior do que ele pode suportar. Não tenho como saber o que causou essa lesão. Pode ter sido o treinamento de boxe como você pensa, mas também pode ter sido algum outro fator. A verdade é que o que causou a dor é o que menos importa agora. A maneira de curar isso é deixar que seu pé descanse e carregue apenas uma carga que possa suportar. Vamos então interromper qualquer tipo de esforço que sobrecarregue seu pé e prepará-lo para que possa novamente suportar suas atividades.

Aquilo era incrível. O pragmatismo de Nuno com aquele problema me remeteu imediatamente à postura de

Monty quando deparava com algum cavalo com traumas. Agir sobre o fato, e não gastar tempo especulando sobre hipóteses. Afinal, o importante é solucionar o problema, e não estabelecer a melhor hipótese.

Com o treinamento de Nuno, respeitando minha faixa de esforço, com meu coração conseguindo bombear sangue repleto das matérias-primas que minhas células necessitavam, minha fasciite foi embora mais rápido do que qualquer médico poderia imaginar. Em aproximadamente três semanas, a dor tinha diminuído em mais de 90%, e eu voltava para minhas atividades normais.

O amor pelo ofício

Monty Roberts e Nuno Cobra têm uma característica em comum claramente perceptível: o amor pelo que fazem.

No primeiro curso de Monty de que participei, pude ouvi-lo pronunciar uma frase que me levou a pensar muito sobre o momento de vida pelo qual passava, e que até hoje repito a meus amigos e colegas de trabalho. Monty estava trabalhando um cavalo que chegara a seu rancho com alerta de muita cautela, tamanhos eram seus traumas e, portanto, a ameaça que representava para as pessoas que fossem lidar com ele. Em poucos minutos, porém, Monty conseguiu fazer que o cavalo deixasse seu comportamento ameaçador e agressivo de lado para adotar uma postura calma e prestativa, o que era inimaginável alguns minutos antes, e possivelmente salvou a vida daquele animal. Monty então abriu um largo e belo sorriso e comentou:

— Meu Deus, como eu gosto do que faço. Ver um cavalo reencontrar a confiança em sua relação com as pessoas, largar seus hábitos agressivos e perigosos, e poder assim salvar sua vida, me realiza e me torna plenamente feliz. Não posso chamar isso de trabalho, não seria justo. Pelo menos, não como as pessoas o definem. Costumo dizer que é possível perceber se uma pessoa gosta daquilo que faz ao notar qual é o melhor dia de sua semana. Se o melhor for a sexta-feira, isto é um mau sinal. O melhor dia da minha semana é sempre a segunda-feira, pois sei que estou de volta àquilo que mais gosto de fazer na vida, que é viajar pelo mundo, conhecer pessoas e lugares fantásticos e lidar com cavalos de todos os tipos e espécies, podendo levar a eles e às pessoas que assistem às minhas demonstrações uma mensagem de que existe outra maneira de convívio.

*

Essa visão não me abandonava. Qual era o melhor dia da minha semana? Não havia dúvidas de que era a sexta-feira. Eu tinha um trabalho que muitos sonhariam ter. Tinha uma grande equipe se reportando a mim, um ótimo salário, grande participação nos lucros, mas não era feliz. Era difícil acordar todos os dias de manhã, vestir-me e ir encontrar meus sócios, pessoas que pouco ou nada tinham em comum comigo em relação à maneira como encaravam a vida.

A verdade é que é difícil partilhar resultados sem compartilhar sonhos. Eu tinha status, uma boa poupança, uma bela casa, meu sítio, mas minhas segundas-feiras eram horríveis. Eu precisava fazer alguma coisa.

Foi quando meus sócios anunciaram que haveria uma grande mudança em nossa empresa, e que aqueles que desejassem sair teriam direito a receber o valor de suas ações em condições muito boas, acreditando que todos escolheriam ficar para ganhar mais espaço na nova estrutura.

Eu, porém, imediatamente manifestei o desejo de sair. Era a oportunidade de salvar minhas segundas-feiras. Fizeram-me propostas sedutoras para permanecer na firma. Cargos superimportantes, promessas de grandes participações societárias, responsabilidade por novos projetos. Não adiantava, aquilo de que eu precisava eles não podiam me oferecer: pessoas que compartilhassem comigo os mesmos sonhos. O resto eu já tinha, talvez não na quantidade que eles poderiam me oferecer, mas o suficiente para permitir uma vida feliz.

Saí com três sócios que acalentavam os mesmos sonhos que os meus e fundamos nossa nova empresa. Tínhamos uma folha em branco à nossa frente e o lápis para escrever nossa própria história, do jeito que queríamos e com as pessoas que admirávamos ao nosso lado. Em menos de dois anos, a empresa passou a ter quase trezentos funcionários e se tornou uma das maiores do setor financeiro do país. E minhas segundas-feiras nunca mais foram tristes.

Quando amamos o que fazemos, as pequenas pedras do caminho não são capazes de desviar nossa trajetória. Lembro-me de que no curso de Monty que fiz em 2010, logo no segundo cavalo que era trabalhado no primeiro dia de aula, ele se descuidou e recebeu uma forte pisada do animal em seu pé. Monty afastou o cavalo, encostou-se um pouco na parede do redondel para se recuperar e voltou a trabalhar o animal. Mesmo contundido, manteve o programa do curso normalmente, o que significava uma carga intensa de atividades durante todo o dia, que exigiam uma capacidade física incrível para uma pessoa de 75 anos.

Quando o curso se encerrou e fui passar alguns dias em sua casa, fiquei surpreso ao descobrir que ele quebrara o dedo do pé na pisada que levara e que passara todos aqueles dias suportando a dor enquanto desempenhava suas atividades. Não me lembro de um dia sequer daquele curso em que Monty não estivesse de bom humor, solícito com os alunos e aproveitando cada minuto com seus cavalos. Afinal, era só um dedo do pé quebrado, e isso, para quem ama o que faz, é apenas um detalhe.

A realização de Nuno

Poucos sabem, mas Nuno passou anos sem cobrar um centavo de seus alunos. Seu raciocínio, mais do que nobre, era belo. Ele achava que não era justo cobrar para tornar a vida de alguém mais saudável e completa. Esse era seu dever como educador físico e, mais do que uma obrigação, aquilo era uma missão.

Numa das conversas que tivemos em seu escritório, Nuno me contou sobre a realização que sente ao ver a mudança de vida que consegue propiciar a seus alunos. Pessoas que tinham vergonha do próprio corpo, dos cargos que ocupavam em suas empresas, das ideias que tinham, passavam, depois do treinamento, a amar suas vidas como nunca poderiam imaginar. E ver a confiança que exibiam, felizes e orgulhosos de quem eram e da saúde que tinham era algo que dinheiro nenhum no mundo pagava.

No final de outro encontro com Nuno, quando já estava me despedindo, o aluno que ele receberia em seguida chegou e fomos apresentados. Um rapaz alto, forte, que estava se preparando para uma maratona. Nuno então lhe pediu que me mostrasse como eram os exercícios que acabara de me passar, para que eu pudesse ver outra pessoa fazendo, tornando assim sua execução mais fácil para mim. Enquanto o aluno fazia os exercícios, Nuno me contou o caso dele. Havia perdido 25 quilos desde que começara o treinamento. Eu ouvia a história enquanto observava o aluno demonstrando os exercícios com uma perfeição de movimentos e uma confiança dignas de um atleta profissional. O melhor, porém, era observar no rosto de Nuno o orgulho de ver seu aluno fazendo aquilo.

Existe uma velha história de uma conversa entre uma freira e um milionário do setor petrolífero que, ao ver a freira cuidando de vários leprosos, vira-se para ela e diz que não faria aquilo por dinheiro nenhum no mundo. A freira então lhe responde que ela também não.

Os grandes personagens da história realizaram seus grandes feitos por amor ao que faziam, nunca por dinheiro. Nuno e Monty são personagens que inovaram nas áreas em que atuam. E só foram capazes disso porque amam muito o que fazem, talvez como ninguém no seu campo de trabalho tenha amado. Esse é, sem dúvida, seu maior segredo.

Perfeccionistas antes, otimistas durante, analistas depois

Monty Roberts e Nuno Cobra encaram os desafios de forma muito semelhante. Ambos são grandes vencedores e tiveram de transpor diversas barreiras ao longo da carreira para chegar ao patamar de sucesso em que estão hoje. Conviver com eles me fez enxergar e entender um pouco suas estratégias.

Ao longo dos últimos dois anos, tive a oportunidade de viajar com Monty Roberts em algumas de suas demonstrações. Ele se apresenta para multidões ao redor do mundo há algumas décadas, e o roteiro de seus eventos inclui uma série de precauções que devem ser seguidas pelos organizadores. A ideia de atender a uma lista de condições preestabelecidas é preservar a integridade física das pessoas envolvidas nas demonstrações e principalmente dos cavalos que serão utilizados durante a apresentação.

Monty costuma chegar à cidade onde fará sua demonstração com alguns dias de antecedência. Dois dias, para ser mais exato. Durante esse período que precede o dia da apresentação ao público, ele verifica se todas as condições do contrato estão sendo cumpridas. Ele leva a sério a necessidade de que absolutamente todos os detalhes previstos estejam de acordo com o combinado.

Nas três viagens que fiz com Monty, cheguei a pensar que não realizaríamos a demonstração. Percorrer as instalações com ele significava descobrir dezenas de problemas aparentemente insolúveis no curto período de tempo que precedia o espetáculo. Detalhes como a composição do gradeado que cerca o espaço onde os cavalos são trabalhados, o piso de areia onde Monty fará sua apresentação, a disposição das arquibancadas ao redor da arena, a qualidade do som e da iluminação, o estado de saúde dos cavalos e os equipamentos que serão utilizados com os animais. Tudo é examinado minuciosamente.

Monty parece seguir a velha máxima de mirar no ótimo para acertar o bom. Até o último segundo antes da apresentação, procura corrigir todos os pontos falhos ou em desacordo com seu manual. E, em relação a cada item, age como se fosse o mais importante, sem o qual a apresentação não poderia ser realizada. Os organizadores não raro perdem a paciência e chegam a temer pelo pior. Mas, quando a demonstração começa, ele se transforma.

Poucas pessoas encaram seus desafios de forma tão otimista como Monty. Em suas apresentações, não deixa transparecer ao público, nem mesmo aos organizadores, se vários detalhes da infraestrutura não tiverem sido resolvidos. Tudo parece estar perfeito. Ele sabe que aquilo é tudo que tem à sua disposição, e é exatamente com isso que tenta fazer a melhor demonstração de sua vida.

O resultado são apresentações fantásticas, memoráveis, históricas, capazes de emocionar o coração e a mente de milhares de pessoas. Monty espreme o fruto até sua última gota e extrai da oportunidade que lhe dão o máximo que consegue para deixar sua mensagem e seu exemplo.

Da mesma forma que Monty se transforma assim que a demonstração começa, no segundo seguinte ao seu término, ele adota uma nova postura. Como é uma pessoa extremamente crítica e analista, procura verificar todos os detalhes que podem ser aperfeiçoados.

Essa atitude leva-o a ser ainda mais perfeccionista na apresentação seguinte, o que implicará levar os próximos organizadores a um estado de estresse ainda maior para cumprir todos os requisitos de uma apresentação perfeita. Mas essa atitude, ao mesmo tempo, encaminha sua próxima apresentação para mais perto da perfeição. O resultado é que o público fica cada vez mais satisfeito e mais disposto a divulgar seus conceitos mundo afora.

Nuno Cobra é igualmente perfeccionista como poucos. Cada exercício que passa é seguido de uma detalhada explicação de como deverá ser executado. Faz questão de realizar pessoalmente o exercício, mostrando a posição, a velocidade e o ritmo nos quais deve ser realizado. Quando começou a me passar a primeira série, logo depois de me mostrar o exercício, Nuno pedia que eu o realizasse para ver se seria capaz de executá-lo corretamente. Nessa hora, concentrava-se nos detalhes, corrigindo a posição de meus braços, de minhas pernas, a maneira como eu estava respirando, até que eu estivesse realizando o exercício de uma forma próxima da perfeição. Só então passávamos ao exercício seguinte da série.

O curioso, porém, é que no meu regresso ao seu escritório, após algumas semanas, Nuno só ressaltava o lado positivo, não havia cobrança alguma para saber se eu tinha feito algo errado durante o período de treinamento. Nuno sabia que tinha feito todo o possível para me dar as condições de fazer um bom trabalho, e de nada adiantaria criticar aquilo que já fora feito. Sua preocupação era então passar a nova série de exercícios e novamente trabalhar comigo para que eu conseguisse compreender todos os detalhes do que deveria fazer.

Monty e Nuno parecem seguir a sabedoria contida na oração do teólogo Reinhold Niebuhr, em que se pede serenidade para aceitar aquilo que não se pode mudar, coragem para mudar aquilo que é possível mudar e sabedoria para distinguir entre os dois. Ambos sabem que devemos empregar forças para mudar uma situação enquanto a mudança ainda é possível. Nos outros momentos, ser positivo, acreditar no melhor e trabalhar com aquilo que se tem à disposição, sem arrependimentos ou reclamações, é o que estabelecerá a diferença entre fazer o que se espera e realizar o extraordinário.

O *Join Up*

A base do método de trabalho desenvolvido por Monty Roberts é o *Join Up*, momento mágico em que homem e cavalo se unem numa relação de confiança e parceria, após estabelecerem uma comunicação que os leva a construir uma ponte entre duas espécies aparentemente tão distantes. Entender como Monty desenvolveu essa técnica é talvez tão ou mais importante do que memorizá-la visando a sua repetição com outros cavalos. Isso porque a técnica é muito mais do que uma sequência de gestos e atitudes dentro do redondel; é uma lição de vida que podemos levar para qualquer relacionamento nosso.

Monty Roberts teve uma infância muito difícil. Nascido e criado na Califórnia, no oeste dos Estados Unidos, viveu seus primeiros anos ainda na primeira metade do século passado. Eram outros tempos, e os cavalos tinham um papel socioeconômico relevante na época.

Seu pai era um oficial da polícia e trabalhava também como domador de cavalos. Naquele tempo, a população de mustangues selvagens em solo americano era de milhões, e sua captura e comercialização eram permitidas. Um negócio extremamente lucrativo, portanto, era fazer sua captura a custo próximo de zero, providenciar a doma e vendê-los para as mais diversas finalidades. O pai de Monty exercia essa atividade.

Era, infelizmente, uma pessoa extremamente agressiva, e Monty sofria na pele as consequências dessa agressividade. Até os 12 anos, teve mais de setenta ossos do corpo quebrados em razão da violência do pai. Por mais absurdo que possa parecer, o menino era surrado até com correntes e colocado num quarto ou num canto da casa para que os ferimentos curassem com o tempo. Se esse era o tratamento que dava ao filho, é fácil imaginar como tratava os cavalos. Todos eram domados com muita violência, e Monty guarda até hoje fotos dos métodos que o pai utilizava.

Quando Monty tinha menos de 10 anos, o pai passou a mandá-lo para o deserto com a finalidade de capturar mustangues para serem domados. Aquilo era fantástico para o garoto, pois representava uma fuga de sua dura realidade; por alguns dias, ele podia viver na companhia dos cavalos sem sofrer com a violência do pai. Eram viagens de poucos dias, mas Monty tinha a oportunidade de conviver com cavalos absolutamente selvagens, que nunca haviam tido contato com seres humanos.

Ele passava dias e noites nas montanhas observando de longe como aqueles animais viviam. Analisava seus hábitos, suas reações às situações de perigo, a maneira como interagiam com seu grupo e suas principais atividades durante os períodos diurnos e noturnos. Era capaz de observá-los durante as noites melhor do que outra pessoa normalmente poderia, pois o daltonismo facilitava sua visão noturna. É incrível saber que a visão de Monty é muito semelhante à de um cavalo em termos de cores e tons.

Depois de observá-los por longos períodos, Monty começou a perceber que existia claramente uma comunicação entre os membros de um grupo de cavalos. E aquela comunicação era genuína e inerente à espécie, visto que aqueles animais jamais haviam sofrido qualquer influência humana.

A comunicação se iniciava quando algum animal quebrava as regras da boa convivência com o restante do grupo. A égua que liderava o grupo passava então a estabelecer uma comunicação com esse animal, para que voltasse a adotar as atitudes aceitas pelos demais cavalos. Aliás, essa foi uma descoberta de Monty que contrariava tudo o que se acreditava sobre um grupo de cavalos — a de que a líder do grupo era uma égua, não o macho reprodutor, como todos pensavam.

A comunicação entre a égua líder e o animal a ser disciplinado começava com a égua adotando uma postura inabalável, rígida, que pressionava o animal a se afastar do restante da manada. A égua olhava o animal nos olhos e andava em sua direção para que se afastasse. Olhar nos olhos, na linguagem selvagem dos animais, significa "eu sou um predador e você é meu alvo". Isso, para um animal fugidor como o cavalo, significa "afaste-se e fuja se você deseja sobreviver". O animal então fugia e se separava do grupo. Contudo, não o deixava definitivamente, apenas se afastava a uma distância de um quarto de milha, cerca de 400 metros, e então parava para que pudesse estabelecer uma comunicação. Monty percebeu que essa distância também tinha uma explicação. Era grande o suficiente para deixar o animal afastado, mas não longe o bastante para cansá-lo ou deixá-lo desamparado e frágil diante de outros predadores do deserto.

O primeiro sinal que o animal separado fazia para restabelecer a comunicação era direcionar uma de suas orelhas na direção do grupo. Aquilo queria dizer "eu lhe dou minha atenção e desejo estabelecer um diálogo". O animal então passava a caminhar levemente, aproximando-se dos outros animais; esse era o segundo sinal. Durante todo esse tempo, a égua líder mantinha a postura rígida e confrontava o animal separado, voltando-se em sua direção e olhando-o nos olhos para que ele se mantivesse afastado.

O animal então fazia o terceiro sinal dessa comunicação, que era realizar o gesto de mastigar e lamber com a boca, o que na linguagem dos cavalos quer dizer "eu não sou um predador, quero apenas pastar com vocês". Então vinha o último gesto, o animal baixava a cabeça junto ao solo e caminhava com o nariz rente ao chão, numa postura que significa "eu o respeito, aceito suas regras, e permito que você seja o coordenador de nossa reunião". O gesto, segundo Monty, não significa submissão, mas sim respeito, algo como o cumprimento em que as pessoas curvam o tronco perante as outras em algumas culturas orientais.

Feitos os quatro gestos, a égua líder então deixava de adotar a postura rígida, relaxava o corpo, virava-se num ângulo de 45 graus de costas para o animal, de forma que pudesse tê-lo ainda em seu ângulo de visão, mas, ao mesmo tempo, não estivesse mais confrontando-o, e caminhava junto ao grupo. O cavalo separado vinha em sua direção, se juntava novamente ao grupo, e dessa vez passava a seguir as regras de boa convivência com o restante dos animais.

Ao descobrir essa comunicação entre os cavalos, Monty imediatamente pensou: "E se eu realizasse a mesma sequência de gestos, será que os animais a aceitariam e eu seria capaz de estabelecer uma comunicação com eles?" Monty foi para o redondel de sua casa e testou sua hipótese.

O resultado foi surpreendente. A comunicação se dava exatamente como se Monty fosse a égua líder do grupo e, após alguns minutos, o cavalo o seguia pelo redondel, respeitando-o como o coordenador daquele encontro. Mais incrível do que ver que era possível estabelecer tal comunicação era enxergar as consequências que dela resultavam. Monty resolveu selar um cavalo absolutamente xucro com o qual havia replicado a sequência de gestos e desenvolvido um diálogo, e se surpreendeu ao ver que o cavalo o aceitou sobre seu corpo sem dar um pulo sequer em menos de meia hora de trabalho.

Numa época em que cavalos eram violentados das formas mais cruéis e domados em cerca de seis semanas,

Monty havia descoberto um método capaz de domá-los em menos de uma hora sem o uso de violência. As implicações daquela descoberta para Monty foram incríveis. Primeiro porque seria capaz de domar muito mais cavalos no mesmo tempo que outras pessoas domavam poucos ou mesmo nenhum animal, e isso significava lucros muito maiores na atividade da doma. Depois, porque Monty descobrira uma maneira de salvar esses animais dos maus-tratos que sofriam, e dessa forma sentia-se também ele um pouco livre de toda a violência que rondava sua vida.

Os dois novamente

Nunca pensei que num capítulo sobre *Join Up* houvesse espaço para falar de Nuno Cobra. Mas, por incrível que pareça, mesmo nesse aspecto, é possível traçar semelhanças entre Monty Roberts e Nuno Cobra.

O *Join Up* representou uma revolução na relação entre homens e cavalos porque pela primeira vez alguém quebrou o paradigma de que a comunicação entre homem e animal deveria se estabelecer segundo a lógica da comunicação existente entre os homens e passou a pensá-la sob a lógica dos cavalos. Há uma frase que adoto em minha vida que diz: "Se você deseja chegar aonde ninguém chegou, deve fazer o que ninguém fez." Dizem que a definição de loucura é fazer o que todos fazem e esperar por um resultado diferente. Monty foi capaz de pensar fora da caixa e, ao tentar algo que nunca tinha sido tentado, chegou aonde jamais alguém chegara.

Nuno desenvolveu toda a sua técnica entendendo como funciona nosso corpo a partir de uma perspectiva evolutiva, biológica e fisiológica. E resolveu comunicar-se com nosso corpo por meio da linguagem dele, não da nossa. Pode parecer contraditório ou paradoxal, mas nossa linguagem não é a mesma de nosso corpo. Vivemos sob o paradigma da superação, do sucesso, da quebra de barreiras, e isso significa vencer a dificuldade enfrentando-a. Na ótica das atividades físicas, significa vencer o cansaço e a dor com a persistência e a disposição. O velho *"no pain, no gain"*, ou "sem dor, sem resultados".

Ao resolver ouvir o corpo, Nuno percebeu que o cansaço e a dor eram na verdade sinais do corpo alertando que aquilo não lhe fazia bem. E, tal como os cavalos que sofriam violência por não obedecer aos comandos no processo de doma, ele percebeu que fazíamos o mesmo quando nosso corpo se queixava das atividades que o exigiam acima de sua capacidade.

A técnica que Nuno desenvolveu passou então a dar ao corpo aquilo de que ele precisava, o que ele pedia. Se pedia repouso, dar-lhe-ia repouso. Se pedia oxigênio, supriria a demanda de oxigênio. Se clamava por movimento, desenvolveria atividades que lhe dessem o movimento necessário.

E, assim como Monty, que ao se comunicar na linguagem dos cavalos desenvolveu uma técnica que diminuiu o tempo de resultados consideravelmente, Nuno atingiu os mesmos efeitos com o corpo humano. Monty se tornou "O homem que ouve cavalos" e Nuno "O homem que ouve o corpo humano".

Na verdade não é exagero dizer que o trabalho de Nuno Cobra é um *Join Up* entre mente e corpo. E, ao integrar mente e corpo, Nuno chega aonde ninguém imaginou chegar — ao espírito humano.

*

Hoje a técnica de se comunicar utilizando a linguagem do interlocutor é cada vez mais utilizada, sempre com muito sucesso. O famoso Encantador de Cães dos programas norte-americanos de TV, Cesar Millan, desenvolveu sua técnica tratando cães como seres que evoluíram dos lobos e que, por isso, têm reações e atitudes baseadas nessa lógica evolutiva.

Outros profissionais que fazem sucesso na TV — lidando com leões, cobras e animais de diversos tipos e tamanhos — nada mais fazem do que adaptar a técnica de Monty a seus propósitos. E é incrível imaginar que Monty já fazia isso mais de setenta anos atrás, quando leões, cobras e lobos costumavam ser tratados com rifles...

Histórias de *Join Up*

Ter aprendido a técnica do *Join Up* mudou para sempre minha vida. Nunca me preocupei em memorizar a sequência de gestos executada por Monty para que os cavalos se aproximassem dele e passassem a segui-lo pelo redondel. Sempre tive uma visão mais lúdica, filosófica, do que estava por trás daquilo. Achava que assim seria capaz de adaptar aquele conceito não só à minha relação com os cavalos, mas também à minha relação com outros animais e possivelmente também com pessoas. Hoje, poucos anos depois de ter tido contato com essa técnica pela primeira vez, posso afirmar sem medo que não há um dia sequer em minha vida que eu não passe por uma situação em que ter aprendido a viver sob a lógica do *Join Up* não faça a diferença.

Em Solvang tive a oportunidade de ver Monty aplicar a técnica do *Join Up* a outros animais. Estávamos em sua residência, conversando antes do jantar, quando ele me chamou para ver algo do lado de fora da casa. Ao chegarmos ao jardim atrás da garagem, a cena que vi parecia um trecho de um filme de ficção, como *O Senhor dos Anéis* ou *As crônicas de Nárnia*. Um grupo de aproximadamente trinta corças, animais que se assemelham a pequenos veados, pastava a cerca de 10 metros de onde estávamos. Era inacreditável; animais selvagens, extremamente ariscos, descansando e comendo calmamente diante de nós sem esboçar qualquer sinal de preocupação.

Entusiasmado com o que acabara de ver, resolvi me aproximar das corças para interagir com elas. Imediatamente elas se afastaram e ameaçaram bater em retirada. Monty então me disse:

— Você quer ver uma coisa, Eduardo? Venha para trás de mim e esconda-se das corças.

Assim que fiz isso, todas as corças se acalmaram e aproximaram-se novamente de nós. Era como se Monty realmente possuísse um poder mágico e contasse com a confiança e amizade de todos aqueles animais.

Monty então me disse que elas o ajudaram demais a desenvolver suas habilidades para realizar a técnica do *Join Up*. Disse-me que corças estão entre os animais mais ariscos, pois precisam ser assim para sobreviver aos perigos de seus predadores. Ao longo de anos, Monty praticou as técnicas de *Join Up* com elas, até que aceitassem sua presença e passassem a confiar que ele não representava mal ou perigo algum.

Perguntei se ele já havia testado a técnica com outros animais. Monty disse que sim, que já realizara a técnica com sucesso em aves, peixes, vacas e vários outros animais, e que com todos eles era possível desenvolver uma relação de confiança e parceria se os conceitos em que a técnica se baseia fossem aplicados.

Resolvi então que, ao voltar para casa, tentaria aplicá-la a todas as situações em que fosse necessário estabelecer uma relação de confiança.

Meu primeiro *Join Up* foi uma experiência inesquecível. Tão especial que dediquei um pequeno capítulo no Apêndice deste livro para descrevê-la. Na verdade, o texto é uma carta que escrevi a Monty logo depois de ter passado pela experiência, pois acho que a carta, carregada da emoção do momento, descreve melhor essa passagem do que qualquer texto que eu escrevesse hoje. Essa foi, entretanto, apenas minha primeira experiência; depois dela tive várias outras também surpreendentes.

Uma delas aconteceu no meio do pantanal mato-grossense. Eu fora chamado para dar um curso numa fazenda a cerca de uma hora de Poconé, que por sua vez fica a aproximadamente uma hora de Cuiabá, capital do estado. Era um dos primeiros cursos fora de São Paulo, e por isso fiz questão de perguntar à organizadora se todos os equipamentos e a infraestrutura de que eu precisaria estariam disponíveis.

Tinha solicitado um redondel que não tivesse a cerca vazada, com piso de areia, diâmetro em torno de 15 metros, e cavalos que fossem pelo menos acostumados a utilizar o cabresto. Afinal, eu teria de trabalhar mais de dez cavalos em apenas dois dias. A organizadora comprometeu-se a verificar se todas as condições estariam atendidas e me avisar. Poucas horas depois, um e-mail seu garantiu-me que tudo que solicitei estava resolvido e que poderíamos confirmar o curso.

Viajei rumo a Cuiabá num sábado pela manhã, com meu assistente, um peão que me acompanha nesses cursos para montar os cavalos. Por volta das dez da manhã, chegamos à fazenda onde daria o curso.

A recepção foi rápida, pois tínhamos de começar imediatamente, caso contrário não haveria tempo para trabalhar todos os cavalos. Ciente disso, a organizadora do curso logo me encaminhou para o redondel, para onde o primeiro cavalo seria levado a fim de que eu pudesse iniciar o trabalho.

Os cavalos escolhidos eram da raça pantaneiro, e o curso fora planejado pela Associação Brasileira dos Criadores do Cavalo Pantaneiro. É um cavalo tipicamente brasileiro, resultado do cruzamento de animais levados pelos colonizadores europeus, que escaparam de seus donos e passaram a viver uma vida selvagem na região do Pantanal. São o equivalente nacional, apesar da diferença física, dos mustangues americanos. Havia cerca de vinte alunos no curso, entre estudantes de veterinária, criadores de cavalos e alguns tratadores das fazendas vizinhas.

Quando chegamos ao redondel, eu simplesmente não podia acreditar. O local era um picadeiro com cerca de 30 metros de diâmetro, com piso de grama com pedras, cheio de buracos, um tronco no meio e as laterais compostas de apenas três fios de arame liso, ou seja, o redondel era absolutamente vazado e aberto, de frente para o campo onde todos os cavalos soltos estariam pastando.

Aquilo só podia ser uma piada. Eu nunca conseguiria ter a atenção do cavalo naquelas condições. As rédeas longas que eu usava para guiar os animais tinham 10 metros de comprimento, o que, num redondel de 15 metros de diâmetro, faz com que nunca saiam de minhas mãos, por mais que o cavalo se afaste, já que estou sempre no centro.

Num redondel de 30 metros de diâmetro, qualquer cavalo poderia correr e obviamente eu não teria forças para segurá-lo com as rédeas. Além disso, o piso era extremamente perigoso para meu peão, caso ele caísse de algum cavalo durante a demonstração. Pensei em desistir, pois as condições eram extremamente adversas, e eu era apenas um aprendiz de Monty Roberts iniciando minha carreira como treinador.

Olhei para as vinte pessoas que estavam ali, a maioria jovens de menos de 20 anos de idade, e percebi que simplesmente não poderia desistir. Eu precisava de todos eles para poder difundir os conceitos de Monty numa região do país que dificilmente teria acesso a uma das apresentações de meu mestre. A oportunidade de mudar para sempre a relação deles com os cavalos estava em minhas mãos, e eu não podia decepcioná-los. Resolvi então seguir em frente. Retiramos o tronco que havia no centro do redondel, e pedi que me trouxessem o primeiro cavalo a ser trabalhado.

Já haviam se passado cerca de cinco minutos desde que tinham ido buscar o cavalo, e nada. De repente, avistei um grupo de três pessoas, uma das quais puxava com muita força um cavalo, segurando uma de minhas rédeas longas, presa ao cabresto, enquanto os outros dois empurravam o cavalo por trás. Perguntei à organizadora do curso o que estava acontecendo e por que aquele cavalo não queria ser levado ao redondel.

Ela então me disse que aquele cavalo era completamente selvagem. Havia nascido e crescido nos pastos do Pantanal, nunca tinha tido contato com um ser humano, e fora laçado no dia anterior para ser levado ao curso. A demora para levá-lo ao redondel era em razão da enorme dificuldade para colocar o cabresto em sua cabeça. Foi preciso prender o cavalo ao tronco para que o cabresto fosse colocado.

Mas e meu pedido que todos os cavalos fossem acostumados ao uso de cabresto? Perguntei à organizadora, e ela respondeu que não havia entendido que deveria ser assim. Hoje, após ter ministrado vários cursos, sei que naquele dia o que aconteceu foi na verdade um teste para ver se eu realmente era capaz de fazer algo extraordinário, algo que apostavam que eu não conseguiria fazer.

Mais uma vez, a vida tinha me presenteado com um limão. Lembrei-me de duas coisas. A primeira foi de Pierrot. Eu tinha certeza de que, depois de Pierrot, eu seria capaz de trabalhar qualquer cavalo no mundo.

A segunda era que aquele cavalo tinha passado por maus bocados nas 24 horas anteriores. Fora laçado, confinado, preso a um tronco, atrelado a equipamentos com os quais nunca tivera contato e apresentado a um predador que não conhecia: o ser humano. Monty Roberts sempre diz que quanto mais um cavalo foi maltratado, e quanto maiores seus traumas, mais ele precisa encontrar confiança em alguém, portanto melhor será sua resposta ao ver que encontrou alguém que fala sua linguagem.

Apenas 15 minutos depois de começar o trabalho, eu já tinha o cavalo me seguindo pelo redondel, calmo, como se nos conhecêssemos há anos, dando-me suas patas para que eu pudesse levantá-las com minhas mãos. Os alunos assistiam à cena boquiabertos, pasmos. Essa apresentação mostrou o poder do método de Monty e também como, mesmo sem as condições ideais, ele podia ser utilizado.

A organizadora do curso, após presenciar a demonstração, escreveu uma carta à maior revista especializada em cavalos do Brasil, descrevendo ter visto a cena mais impressionante de doma de cavalos em seus quinze anos de profissão como veterinária, e afirmando como estava impressionada com aquele método. A carta foi publicada, e muitas pessoas puderam compartilhar o que os alunos haviam experimentado naquela demonstração. Aquele cavalo levou literalmente a milhares de pessoas uma mensagem atestando como o método de Monty Roberts era revolucionário e valia a pena ser conhecido. Estava feita a limonada.

Mas a experiência mais exótica da viagem ao Pantanal ainda estava por vir. Na primeira noite, fui convidado a participar de um safári noturno em companhia de um grupo de hóspedes do hotel em que estava hospedado. Seria um safári fotográfico em que visitaríamos, num caminhão adaptado para esse fim, trilhas e campos em busca de animais típicos da região.

Após um trajeto de aproximadamente 20 minutos, chegamos à beira de um grande lago cercado por uma pequena mata. Mal podíamos enxergar o lago, pois a única iluminação era a do farol do caminhão e de uma forte lanterna empunhada pelo guia do safári. O guia então resolveu apontar a lanterna em direção ao lago para que pudéssemos ver se havia algo nele. A cena que presenciamos foi absolutamente assustadora. A luz que vinha da lanterna era refletida nos olhos das centenas de jacarés que repousavam no lago e lembrava um céu coberto de estrelas. Eu nunca havia imaginado, nem em meus sonhos, nem nos piores pesadelos, um grupo tão grande de jacarés tão próximos de mim. A margem do lago estava também repleta desses animais, que repousavam parados em meio a várias capivaras que descansavam junto a seus filhotes.

Um dos turistas no caminhão ficou impressionado e resolveu fazer algo surpreendente. Pulou de seu assento e se aproximou, ficando a cerca de 10 metros de um dos jacarés para tirar uma fotografia. O jacaré, em vez de atacá-lo, fugiu para dentro do lago e mergulhou. Outras pessoas também resolveram descer para tirar fotos. Eu parei por alguns instantes e analisei a situação para entender o que estava acontecendo ali.

No meio do lago, estava a carcaça de um veado grande, morto recentemente pelos jacarés. Aquela caça provavelmente havia deixado os jacarés alimentados, razão pela qual naquele momento queriam apenas descansar. O fato de capivaras e outros animais estarem ao seu redor também reforçava a hipótese de que não estariam agressivos, em busca de alimento. Para completar minha percepção dos riscos que a situação envolvia, os animais tinham fugido do confronto com o turista que andara em sua direção, mostrando que realmente não representavam perigo maior para nós.

Uma ideia absolutamente louca me veio então à cabeça: "Vou fazer um *Join Up* com um desses jacarés."

Minha tese era de que, se eu sincronizasse com o estado de calma daqueles animais que estavam em harmonia à margem do lago, como as capivaras e os jacarés, também seria aceito junto a eles. Afinal de contas, sou fisicamente tão diferente de um jacaré quanto uma capivara, e elas eram aceitas.

Minha primeira atitude foi controlar a respiração e baixar consideravelmente minha frequência cardíaca, que havia subido com o estado de agitação em que ficara após ter tido a ideia. Não adiantava eu aparentar calma se não estivesse calmo de fato. Animais não são "enganáveis". Como Monty provou com seus cavalos, nosso estado de agitação ou calma pode ser percebido por eles imediatamente.

Depois que diminuí minha frequência cardíaca para níveis muito mais baixos, comecei um processo de PIC-NIC com um dos jacarés. Escolhi um dos menores, que estava perto de mim. Tudo tinha de ser feito corretamente, e a confiança de que tudo daria certo era fundamental, pois qualquer erro na técnica PIC-NIC me transformaria num verdadeiro "piquenique" dos jacarés.

Eu me agachava, a fim de ficar da mesma altura das capivaras, e quando o jacaré parava de se mexer, incomodado com minha presença, e se acalmava, eu me virava de lado e olhava em outra direção. Comecei a perceber que ele ficava cada vez mais tranquilo com minha aproximação e, após alguns minutos, não demonstrava mais qualquer sinal de que estava incomodado com minha presença.

Cheguei então muito próximo dele e, ao perceber que minha presença fora totalmente aceita, comecei a acariciar sua cauda, para a minha perplexidade e de todos que assistiam. Fiquei ali alguns minutos, curtindo a sensação de estar em verdadeira sincronia com aqueles animais selvagens. Aquilo era emocionante; eu fora aceito por um jacaré usando os métodos que havia aprendido com os cavalos.

Minha teoria de que entender os conceitos de Monty era mais importante do que decorar seus gestos fora colocada à prova e se mostrara verdadeira. Eu sempre achei que poderia usar aquilo com outros animais, mas nunca tinha imaginado que começaria a testar minha teoria num jacaré, de noite, no meio do Pantanal, onde o socorro médico estaria a algumas horas de distância.

Resolvi repetir a experiência com um dos jacarés grandes. Mais uma vez fui capaz de me aproximar e reproduzi a mesma façanha. Várias pessoas então tentaram imitar-me e se aproximar dos animais. Ninguém conseguia chegar a menos de 5 metros de distância sem que os jacarés fugissem. Apenas um deles, que pediu que eu explicasse como conseguia fazer aquilo, seguiu minhas instruções e também pôde, por um instante, tocar um jacaré, que, logo depois, assustado, fugiu para dentro do lago.

*

Algumas semanas depois de ter estado lado a lado com um jacaré, numa das aventuras mais loucas e ao mesmo tempo mais fantásticas de toda minha vida, pude fazer outro *Join Up* com um dos animais que sempre temi na vida.

Estávamos, meu irmão e eu, viajando num sábado de manhã em direção a meu rancho em Jacareí. Já havíamos percorrido toda a autoestrada que sai de São Paulo rumo ao local e estávamos na estrada de terra que cobre os últimos 8 quilômetros da viagem quando meu irmão de repente falou assustado:

— Pare o carro, olhe isso na beira da estrada!

Quando desviei os olhos para a margem da estrada de terra, a poucos metros de onde estávamos, avistei, sob um pequeno arbusto, confundindo-se com a vegetação rasteira, uma das maiores cobras que já vi em minhas andanças. Era uma cobra enorme, uma cascavel com mais de 1 metro de comprimento, desenvolvida o bastante para concluirmos que se tratava de uma adulta.

Sempre tive muito medo de cobras, aranhas e escorpiões. Nunca passei por uma situação de perigo na presença desses animais para ter esse medo. Acho que o medo veio de minhas férias na fazenda de meus avós, quando éramos instruídos a estar sempre atentos, pois poderíamos nos machucar se fôssemos atacados ou mordidos por um daqueles animais. Desde então bastava ver um deles próximo que imediatamente minha frequência cardíaca subia, meu estado de tensão aumentava e meu medo se tornava facilmente perceptível.

Dessa vez, porém, resolvi enfrentar o medo e tentar me aproximar da cobra. Claro que aquilo representava um risco para mim, afinal, trata-se de um dos animais peçonhentos mais perigosos, então resolvi tomar todas as precauções necessárias para me manter numa área segura diante dela.

Peguei um pequeno graveto, fino como um cigarro, porém com uns 40 centímetros de comprimento, para que funcionasse como uma extensão de meu braço — de modo que, se fosse atacado pela cascavel, não houvesse dano à minha saúde. Resolvi então aplicar o conceito do PIC-NIC. Quando cheguei a cerca de 1 metro da cobra com a ponta do graveto, tive a certeza de que se tratava realmente de uma cascavel e, movendo a cauda, ela fez o barulho do chocalho típico de quando esses animais estão em situação de perigo. Mantive o graveto exatamente na mesma posição, sem recuar, mas também sem avançar mais.

Alguns segundos depois da reação agressiva, a cobra acalmou-se e parou de mexer a cauda. Exatamente naquele momento, movi o graveto para longe dela e o escondi atrás de mim, para que ela percebesse que ele não estava ali. Após alguns segundos, repeti a sequência de gestos, aproximando o graveto da cobra e esperando sua reação. Surpreendentemente, dessa vez, ela se incomodou apenas por poucos segundos e ficou ainda mais calma do que da primeira vez. Novamente, retirei o graveto de perto de seu corpo. Repeti exatamente o mesmo ritual algumas vezes, chegando, porém, cada vez mais perto do corpo da cobra com ele, até que, de repente, consegui o que para mim alguns anos antes seria absolutamente inconcebível: toquei a cobra com a ponta do graveto e fiquei acariciando-a sem que esboçasse qualquer reação agressiva.

Esse *Join Up* teve um significado enorme. Não por ter sido com um animal perigoso, afinal, algumas semanas antes eu testara o método com um jacaré maior do que eu e, apesar de a cobra ser um animal cujo veneno pode ser mortal, um jacaré tem uma aparência muito mais assustadora. O motivo pelo qual achei aquele momento especial foi quase filosófico. Pude perceber que o *Join Up* é algo que transcende o raciocínio lógico, cartesiano, matemático.

Mais do que isso: é algo que parece caminhar para a essência do ser, ou seja, age naquilo que une todos os seres, premiando o que potencializa a chance de viver e punindo tudo que ameaça essa chance.

Esse momento é capaz de estreitar os laços entre as partes. Nenhuma outra explicação poderia demonstrar como uma relação de confiança pode ser estabelecida com uma cobra — animal cuja capacidade intelectual é aparentemente incompatível com a de um ser humano.

Ao voltar para casa e refletir sobre a experiência que acabara de viver, inevitavelmente me lembrei da época em que fazia pesca submarina nos mares de Angra dos Reis, cidade ao sul do Rio de Janeiro. Naquela época, anos antes de imaginar que um dia conheceria Monty Roberts e mesmo sem me dar conta do que acontecia, tive a oportunidade de conhecer os princípios do *Join Up*. Isso se deu quando entrei em contato com um experiente pescador que, durante os fins de semana, ensinava técnicas de aproximação para arpoar os peixes em nossos mergulhos.

Ele nos ensinava que era inútil mergulhar e nadar atrás dos peixes para pegá-los, pois eram mais velozes do que nós e fugiriam antes que tivéssemos chance de entrar numa área de tiro com nossos arpões. Deveríamos afundar, escondermo-nos parcialmente atrás de uma pedra, olhar numa direção que não incidisse diretamente sobre os olhos do peixe que estivéssemos caçando e, assim que ele resolvesse se aproximar, calmamente nos afastar e voltar à superfície. Após repetir algumas vezes essa sequência, o peixe se acostumaria a permanecer bem próximo de nós e então poderíamos efetuar o disparo com maior probabilidade de sucesso.

Durante muitos anos usei essa técnica para pescar uma infinidade de peixes. Nunca fui um pescador submarino de destaque nas competições de que participei, mas podia me considerar um bom praticante do esporte. Quando descobri que o que fazia naquela época com os peixes era exatamente a técnica do *Join Up*, aquilo me fez um mal enorme. Percebi que na verdade traía o que de mais valioso alguém pode dar a outro: a confiança. Eu estava fazendo com que o peixe pouco a pouco confiasse em mim e encontrasse próximo a meu corpo uma área segura, de conforto. E exatamente quando conseguia aquilo, eu o traía da pior maneira possível, tirando sua vida.

Depois disso, consegui mergulhar para caçar um peixe. Eticamente aquilo foi conflitante o bastante para me levar a trocar o arpão por uma máquina fotográfica à prova d'água.

*

Outra passagem importante relativa ao *Join Up* em minha vida aconteceu em Nova York, em 2010. Estava com dois amigos em um bar em Manhattan, na região do Meat Pack District. Como o nome diz, essa região foi famosa por seus açougues, mas atualmente é uma das áreas onde se concentram alguns dos melhores bares e casas noturnas da cidade.

Estávamos conversando sobre minhas experiências após a viagem em que estive com Monty Roberts, e comecei a discorrer sobre a filosofia do *Join Up* para meus amigos. Falei sobre a possibilidade de aplicar a técnica a outros animais além de cavalos, e sobre as experiências que eu já tivera nesse sentido. Um de meus amigos então resolveu lançar um desafio: seria possível fazer um *Join Up* com uma pessoa desconhecida, sem que ela soubesse? Eu lhes disse que certamente era possível e que na verdade a técnica é extremamente útil para unir pessoas nas relações de trabalho, afetivas e familiares.

Eles então me mostraram uma jovem morena, muito bonita, que estava com um grupo de amigas próximas de nós, e falando em tom de zombaria perguntaram se eu seria capaz de fazer um *Join Up* com ela. Resolvi aceitar o desafio e comecei a tentar fazer que ela se aproximasse de nós usando a mesma técnica que havia poucos minutos eu defendera.

Olhei na direção dos olhos dela num momento em que estava conversando com as amigas e fixei meu olhar, procurando chamar sua atenção. Inconscientemente ela percebeu que alguma coisa chamava sua atenção no lugar onde estávamos e, quando voltou seu olhar para nós, desviei calmamente meu olhar um pouco para o lado e virei um pouco meu corpo para que não estivesse totalmente de frente para o dela, saindo de uma postura de confronto.

Enquanto eu efetuava os gestos, ia explicando para meus amigos o que estava fazendo conceitualmente. No momento em que desviava o olhar, dava a ela a sensação de conforto ao olhar para mim, pois aquele olhar não tinha como reação uma atitude "predadora" de minha parte. Isso fazia com que, cada vez mais, ela olhasse em nossa direção, pois ali seu olhar repousava numa zona confortável, agradável, e isso também ia conquistando sua confiança instintiva, subconsciente.

Então eu disse para meu amigo:

— Já ganhei sua confiança, e ela está vendo em nós uma zona agradável, de conforto. Só preciso agora que alguém lhe apresente uma opção ruim, pior do que estar conosco, para que então ela fuja para sua zona de conforto, que somos nós.

Quase imediatamente após eu dizer isso para meu amigo, um rapaz embriagado chegou perto do grupo de meninas e começou a usar palavras não muito gentis em tom alto.

— Pronto, era disso que eu precisava. Agora tenho todos os elementos na mesa, e devemos esperar algum tipo de aproximação.

O que aconteceu a seguir foi fantástico, e, por sorte, eu estava junto a pessoas que podem, hoje, comprovar o que viram naquela noite. A menina veio andando em nossa direção, dirigiu-se a mim e perguntou:

— Desculpe-me incomodar. Percebi que vocês estão falando uma língua diferente. De onde são? Deixe-me apresentar e também às minhas amigas que estão comigo.

Meu amigo até hoje diz que foi uma das coisas mais inacreditáveis que viu em toda sua vida. A menina atualmente é nossa amiga, mas tenho de admitir que nunca lhe contamos que usamos a técnica do *Join Up* para conhecê-la naquela noite.

Por mais fantasioso e fictício que possa parecer, já fiz *Join Up* com dezenas de outros animais. Desde raposas até moscas, e todos respondem de forma similar à técnica. É claro que a natureza de cada espécie faz que as reações sejam mais ou menos ariscas, agressivas ou imediatas. Mas a lógica da resposta é a mesma, e é isso o que torna o *Join Up* tão especial.

Meu filho e o *Join Up*

Uma das mais intensas experiências de *Join Up* que tive foi com meu filho, Francisco. Durante seu primeiro ano de vida fui um pai muito ausente, passando boa parte do meu tempo dividido entre trabalho e viagens. Durante o período em que fui forçado a ficar em casa por causa do acidente, percebi que meu filho não se sentia seguro perto de mim e, toda vez que me aproximava dele, chorava pedindo a mãe ou a babá. Resolvi então me aproximar, seguindo aquilo que tinha aprendido com os animais, e desenvolver uma relação de confiança que fosse capaz de nos aproximar.

Alguns dias depois de iniciar minhas tentativas, meu filho passou a ter um relacionamento mais forte e mais próximo comigo do que eu jamais poderia imaginar. Até hoje, é nos meus braços e próximo a mim que ele sente a confiança e segurança capazes de arrancar um sorriso maroto de seu rosto, daqueles que dizem sem palavras que está tudo bem!

As pazes com a Loção do Piabanha

Toda minha história com Monty e Nuno, portanto, começou com um tombo. Aquele fatídico fim de semana quando fui pela primeira vez montar a égua que havia comprado na internet será sempre lembrado pelo acidente que sofri, mas principalmente por ser o marco zero de uma longa caminhada que me levou às duas pessoas que mais influenciaram minha vida. Graças ao tombo, e consequentemente à égua, viajei para os Estados Unidos, conheci Monty Roberts, me tornei um de seus principais discípulos, ministrei cursos e fiz demonstrações por todo o Brasil, conheci Nuno Cobra, recuperei minha saúde e finalmente encontrei de volta meu prumo.

Já havia passado quase um ano desde minha primeira ida ao curso de Monty Roberts. Eu já havia me tornado de alguma forma uma referência em técnicas de doma racional no Brasil, viajara para diversas cidades fazendo demonstrações e participara de vários programas de TV para descrever minhas aventuras. Foi quando o editor de uma das maiores revistas especializadas em esportes equestres do Brasil me ligou e disse que gostaria de fazer uma reportagem comigo.

Seu nome era Marcelo, e sua intenção era fazer uma matéria sobre todo o processo que havia me levado a aprender as técnicas de Monty Roberts e trazê-las ao Brasil. Conversamos por um bom tempo ao telefone, e ao terminar a conversa Marcelo me perguntou: "E a égua que começou toda essa história, como está hoje?" Nossa, tanta coisa tinha acontecido na minha vida que eu havia ficado cego para uma das mais importantes. Eu já havia lidado com centenas de cavalos e éguas, ajudado a resolver problemas de comportamento seriíssimos nos cavalos com os quais havia tido contato, e a égua que talvez mais merecesse tudo aquilo que eu havia aprendido havia sido deixada de lado. Respondi então a Marcelo que a égua continuava em minha fazenda, mas que nunca mais havia interagido com ela. Imediatamente ele falou: "Então será esta nossa matéria: o reencontro entre você e a égua que deu início a toda sua história."

Quando me acidentei montando minha égua, ela estava no sétimo mês de gestação. Isso acabou fazendo com que minha volta do curso de Monty Roberts coincidisse com o nascimento de seu potro. Consequentemente tivemos de deixá-la com a atenção voltada para sua nova cria, e paramos de trabalhá-la por um longo período. Quando Marcelo me convidou a fazer a reportagem sobre nosso reencontro, um bom tempo já havia decorrido, o período de amamentação do potro havia passado, e Loção estava novamente pronta para ser exercitada e preparada para a monta.

Chegamos a meu sítio e fomos direto ao redondel. Aquilo para mim era como participar da final de uma prova olímpica. Eu estava nervoso da cabeça aos pés. Era impossível olhar para aquela égua e não me lembrar dos momentos caóticos que passei sobre suas costas, o que resultou num dos piores tombos de minha vida. Todos os outros cavalos com os quais eu havia lidado desde minha volta do curso de Monty Roberts eram cavalos que tinham problemas que de certa forma não me afetavam. Nenhum deles jamais havia me machucado ou causado qualquer situação que me colocasse em risco. Isso fazia com que eu sempre entrasse no redondel com eles confiante de que seria capaz de torná-los animais melhores e mais felizes com as técnicas que havia aprendido. Mas com Loção era diferente. Aquele era meu grande teste.

Pedi ao peão de minha fazenda que trouxesse a égua para que a trabalhássemos. Ela não sabia o que era colocar um cabresto para ser trabalhada havia quase um ano. Lembro-me como se fosse hoje dela entrando pelo redondel, puxada pelo funcionário da fazenda. Era chegado o grande momento de fazer as pazes com quem havia me levado ao inferno e depois ao céu.

O fotógrafo da revista estava a postos para registrar os momentos que se seguiriam. Foi quando parei, respirei fundo e percebi que o sucesso ou o fracasso do que aconteceria ali dentro dependia somente de uma pessoa, e essa pessoa era eu. Eu precisava me acalmar, então fechei os olhos, lembrei-me de todos os cavalos que vi Monty trabalhando em seu curso, de todos aqueles com os quais eu havia tido contato desde minha volta, respirei profundamente algumas vezes e abri os olhos pronto para realizar o *Join Up* mais importante da minha vida.

Levei Loção até a extremidade do redondel e, assim como a égua líder que quer disciplinar um dos cavalos do grupo que age de forma indesejada, olhei-a diretamente nos olhos, e com uma postura firme e resoluta fiz com que se afastasse de mim e corresse pelo redondel. Pronto, aquele momento de indisciplina de um ano antes estava, na linguagem dela, sendo conversado.

A égua galopava com as patas esbarrando na parede do redondel, rígida, tensa, sabendo que ali no centro estava alguém decidido a transformar aquela relação. Uma volta, duas voltas, várias voltas, e sua expressão mantinha-se inalterada. Fiz então com que mudasse a direção e passasse a correr no outro sentido, dando mais algumas voltas pelo redondel. Foi quando resolvi começar o processo de comunicação e, retirando um pouco da pressão que fazia para que se afastasse, coloquei-a de volta novamente para seguir no sentido original.

Imediatamente sua orelha de dentro passou a me seguir no centro do redondel. O vínculo havia sido criado, sua atenção a partir daquele momento estava totalmente voltada para o que eu tinha a dizer em sua língua. Comecei então um processo de ir paulatinamente retirando a pressão que exercia sobre ela e fui relaxando meu corpo, ainda olhando-a nos olhos e mantendo-a afastada.

    Loção então começou a fazer círculos mais próximos a mim, como quem perguntava se poderia aproximar-se para intensificar a comunicação. Poucos segundos depois começou a lamber e mastigar, num gesto que demonstrava uma calma inimaginável alguns minutos antes. Foi então que resolvi relaxar totalmente, baixar os braços, fechar os dedos da mão, e Loção abaixou a cabeça, encostando o nariz no solo, dando-me o último sinal de que eu precisava, que aceitava que eu fosse o coordenador desse nosso reencontro e que respeitava aquela pessoa que estava no centro do redondel.

    Virei-me então de costas para ela, numa postura absolutamente passiva e relaxada, e ela vagarosamente caminhou em minha direção, até que seu queixo encostou em meu ombro e ela deu um suspiro que para mim parecia exalar toda uma relação mal resolvida que nunca precisava ter acontecido daquela forma.

    Se antes era um estado de tensão que me acometia da cabeça aos pés, agora era um arrepio que me tomava todo o corpo. Uma emoção indescritível, fantástica, bela como poucas que tive na vida, que me deixou com os olhos cheios de lágrimas e a alma querendo explodir. Virei-me e com a mão direita acariciei-a na testa, enquanto a esquerda segurava seu queixo, massageando-o, e meus olhos abaixados agradeciam a segunda chance que ela me dava. Tornei a virar-me de costas e, ao caminhar, ela me seguiu pelo redondel, mostrando que a partir daquele momento o elo que nos unia não era mais físico como uma rédea, um cabresto ou uma corda. Era o elo da confiança e do respeito.

Aquilo foi tão forte para mim, que resolvi ir além e vencer o que era naquele momento um dos meus maiores medos, o de novamente montar aquela égua. Qualquer um em sã consciência diria que aquilo era uma irresponsabilidade sem tamanho. Afinal, a égua não era montada havia mais de um ano, minha última experiência com ela havia sido de um tombo seriíssimo e, por último, eu era um péssimo cavaleiro e não estaria preparado para a possibilidade de ela pular novamente. Mas algo me dizia que eu tinha de enfrentar aquele risco. Era aquele o momento de selar definitivamente a paz com quem havia mudado minha vida.

Pedi que trouxessem a sela e meu capacete. Loção estava tão calma que pude colocar a sela, o cabresto e o bridão sem que estivesse amarrada a lugar algum. Sua atitude era completamente submissa. Levei-a então para o canto do redondel, benzi-me com a areia que estava sob meus pés, numa atitude que pedia aos céus que não deixassem novamente acontecer um acidente como aquele que havia me deixado de cama por longos dias, fiz um carinho no pescoço dela e calmamente montei-a.

O fotógrafo estava preparado para o pior, Marcelo registrava em sua mente cada momento para fazer a reportagem, e os funcionários de minha fazenda imaginavam se aquela minha atitude era realmente sensata... Mas Loção presenteou-me com uma das voltas mais tranquilas e gostosas que já dei até hoje em meu redondel. Eu me sentia flutuando, voando em um tapete mágico, enquanto seus pés marchavam cadenciadamente sobre a areia.

A paz havia sido selada. E eu percebi que Monty tinha razão. O tombo que eu havia tomado não fora porque Loção era uma égua má, mas sim porque nunca havia sido tratada de um modo que lhe inspirasse confiança e respeito. Serei eternamente grato a ela pelo tombo e pela oportunidade de sermos novamente companheiros.

Minha primeira oitava

Dar uma oitava, ou seja, erguer-se na barra de exercícios e girar o corpo sobre ela num giro completo, como observamos os atletas olímpicos fazerem, é um marco no treinamento de Nuno Cobra. É como um rito de passagem, o equivalente a uma troca de faixa numa arte marcial. Nuno diz que nesse momento um verdadeiro turbilhão ocorre em nossas mentes. É o momento que mostra que atingimos um nível de força física, coordenação muscular, inteligência emocional e evolução espiritual enormes. Dar uma oitava significa ser capaz de buscar o quase impossível, e o impacto que pode representar em todos os outros planos de nossa vida é enorme.

Lembro-me de que, quando fomos tomar nosso primeiro café juntos para conversar, Nuno me contou o significado que tinha em seu treinamento dar uma oitava. Disse que vários de seus alunos, após conseguirem dar a oitava, mudavam completamente sua postura diante da vida. Passavam a agir de forma mais confiante, mais resoluta, e muitos deles passavam a acreditar que poderiam realizar proezas típicas de semideuses. Citou o caso de Ayrton Senna, que, segundo Nuno, após dar sua primeira oitava viajou para Portugal e ganhou seu primeiro grande prêmio de Fórmula 1, dirigindo um carro que muitos diziam não ser capaz de terminar uma corrida entre as dez primeiras colocações.

Perguntei a Nuno quanto tempo demoraria para que eu conseguisse dar uma oitava. Nuno disse que isso variava de acordo com a capacidade individual e a dedicação ao método de cada aluno. Nuno sempre frisou a importância de acreditar no método e de "fazer" aquilo que era programado. Seu método, dizia ele, levaria, por meio de uma evolução aparentemente lenta, a resultados muito rápidos, aliás, rápidos como nunca teríamos experimentado por qualquer outro caminho. Normalmente, segundo ele, as pessoas demoravam de um ano e meio a dois anos para realizar sua primeira oitava, mas o fantástico era que quando eu conseguisse seria de uma forma absolutamente natural, sem esforço algum, e isso demonstraria o estágio extraordinário ao qual eu teria chegado.

Eu tinha dúvidas, porém, se seria capaz de fazê-la. E o motivo era um acidente que havia sofrido aos 20 anos numa estação de esqui no Canadá, e a previsão feita pelo médico que havia operado meus dois ombros.

O ano era 1996, e eu era um dos principais atletas da equipe de atletismo da Universidade da Califórnia em San Diego. Havíamos treinado duramente durante toda a pré-temporada, que ia de agosto a dezembro, e teríamos duas semanas de descanso até que a temporada começasse, em janeiro. Eu estava efetivamente preparado. Estava forte, era rápido e uma das principais apostas de meu técnico, Sr. Wes, para as provas que teríamos pela frente. Eu corria os 100 e os 200 metros rasos, mas minha especialidade era a prova do revezamento 4 x 100 metros, na qual eu era o âncora, ou seja, aquele que fechava o revezamento. O âncora é normalmente o segundo mais rápido da equipe, e ser o segundo mais rápido da equipe de San Diego, um dos centros de treinamento mais importantes do mundo na modalidade, era algo do qual eu podia me orgulhar. Antes de sairmos para as rápidas férias, meu técnico pediu: "Eduardo, por favor, não se exponha a riscos desnecessários, não jogue fora nossa preparação para a temporada. Evite atividades perigosas e, se for dançar samba, cuidado para não torcer o pé." E deu uma sonora risada.

Havia uma viagem programada para aquela semana, durante a qual alunos de todas as universidades da Califórnia (Berkeley, San Diego, Santa Cruz, UCLA e Santa Barbara) iriam esquiar na estação de Whistler, no Canadá. Era uma chance única de conviver com vários outros jovens de minha idade, provenientes de todas as partes do mundo, e também de pela primeira vez na vida ver a neve, algo que aos 20 anos de idade conhecia apenas através dos filmes e das páginas de revistas. Resolvi então contrariar as recomendações de meu técnico e ir para a viagem a Whistler, afinal, o que de mal poderia acontecer naqueles poucos dias...

Chegamos a Whistler de ônibus, após uma viagem de quase um dia de duração, e fomos direto conhecer nosso hotel. Era inacreditável, a cena que vi parecia ter sido tirada diretamente dos contos que lia quando criança. Um mundo branco de montanhas e casas que pareciam de brinquedo, com centenas de pessoas deslizando em esquis e *snowboards* pelas ladeiras de neve. Eu precisava imediatamente pegar meu equipamento e começar a brincar também.

Escolhi aprender as técnicas do *snowboard* em vez das do esqui. Como tinha sido durante muitos anos praticante de skate e surf (apesar de nunca ter me sobressaído em nenhum dos dois esportes), achava que aquilo me daria uma boa base para me equilibrar na prancha sobre a neve. Aluguei o equipamento com um amigo que me acompanhava na viagem, e fomos diretamente para o teleférico para realizar nossa primeira descida.

Escolhemos uma pista verde, o que equivale ao segundo nível de dificuldade, mesmo sem nunca termos realizados uma descida sequer sobre uma prancha de *snowboard*. Na verdade, nunca tínhamos visto neve. Mas aquilo parecia seguro o suficiente, uma vez que a inclinação era razoavelmente leve e éramos atletas preparados o suficiente para protegermo-nos de eventuais tombos. A descida foi mais bem-sucedida do que poderíamos imaginar. Conseguimos nos equilibrar razoavelmente bem sobre nossas pranchas e descemos quase toda a rampa sem um tombo sequer. E, nas poucas ocasiões que caímos, a neve abaixo de nós era tão macia, que aquilo chegava a ser divertido.

Foi então que, após completar nossa primeira descida, tomamos uma atitude absolutamente irresponsável. Resolvemos subir ao alto da montanha e nos aventurar numa pista Duplo Diamante Negro, ou seja, o nível máximo de dificuldade, algo aconselhado apenas para atletas muito experientes ou profissionais. Lembro-me que, ao olhar para baixo, vi aquela ladeira íngreme e verdadeiramente assustadora. Lembrei-me então dos tombos que havia tomado na última descida e concluí que não corria riscos maiores. Apontei a prancha para baixo e comecei a descer.

Eu pegava cada vez mais velocidade e descia reto pela ladeira de neve quase vertical, vendo as árvores passarem cada vez mais rápido ao meu lado. Eu precisava de alguma forma fazer uma curva para diminuir minha velocidade, mas isso era um grande problema, pois eu não tinha a menor ideia de como fazer uma curva. Resolvi virar meu corpo um pouco para o lado, e isso fez com que a borda da minha prancha entrasse na neve, fazendo uma alavanca que, somada a minha velocidade, arremessou-me em direção à neve numa intensidade completamente devastadora. E, para piorar minha situação, a neve ali era dura como gelo, porque a grande inclinação, somada ao rastro dos esquiadores, a havia compactado quase totalmente.

Meu corpo inteiro colidiu diretamente com a neve, e meu ombro esquerdo foi o local de impacto. Após capotar várias vezes até que meu corpo parasse, olhei para meu braço e vi uma cena no mínimo assustadora. Meu ombro estava deslocado até o lado esquerdo do peito, absolutamente fora do lugar. Como por reflexo, mexi o braço de alguma forma que o fez voltar para o lugar e com uma dor tremenda sentei-me na neve para decidir o que fazer. Eu não queria chamar o trenó para me resgatar e passar a vergonha que aquilo significaria para um jovem orgulhoso como eu era diante dos vários estudantes que estavam conosco. Resolvi me equilibrar novamente e descer até a base da montanha vagarosamente. Eu estava, porém, totalmente sem confiança. Isso fez com que eu caísse de novo, agora em menor velocidade, mas dessa vez, para proteger o ombro esquerdo, me joguei em cima do outro lado do corpo, o que fez com que me chocasse diretamente sobre meu ombro direito. Apesar de não tê-lo deslocado, a dor do novo choque foi ainda maior. Eu estava agora sentado sobre a neve, com os dois ombros muito machucados e precisando de ajuda médica. Fui me arrastando sentado, deslizando sobre a neve até a base da montanha, e de lá diretamente para o posto médico.

Quando cheguei ao posto, fui atendido por um médico jovem, também esquiador. Ele disse que meu caso era grave e que possivelmente deveria indicar uma cirurgia. Disse-lhe que assim que voltasse para San Diego eu trataria disso, mas que precisava de algo para passar a dor e me deixar esquiar, pois aquela viagem não poderia ter acabado na segunda descida do primeiro dia. Ele então me indicou uma dose diária de nove anti-inflamatórios, três deles por três vezes ao dia, para que a dor passasse e eu conseguisse esquiar. Fui imediatamente comprá-los na farmácia e no dia seguinte coloquei um travesseiro sob a roupa de esqui, na região dos ombros, para protegê-los, e andei de *snowboard* por mais cinco dias em Whistler.

Quando cheguei a San Diego, meus ombros estavam um caco e eu tinha de voltar aos treinos para o início da temporada. Fui então ao departamento médico da universidade e me fizeram uma infiltração de cortisona nos ombros, para que a dor passasse e eu pudesse voltar aos treinos. Realmente aquilo fez com que a dor passasse e eu não decepcionasse meu técnico, mas o efeito durou apenas até a primeira competição, quando meu ombro saiu do lugar na linha de chegada, quando me inclinei para ganhar alguns décimos de segundo na prova. Era definitivamente chegada a hora de operar os ombros.

Precisei colocar dois pinos no ombro esquerdo, refazer toda a rede de ligamentos que seguravam a articulação e retirar metade da cartilagem do ombro direito, que havia se rasgado após a queda. Uma cirurgia de cada vez, com um mês de intervalo entre elas. Após ter realizado as duas, o médico reuniu-se comigo e disse que eu voltaria a ter uma vida normal, mas que nunca mais poderia realizar grandes proezas com meu ombro, nem praticar esportes que exigissem um esforço maior por parte deles.

Dar as oitavas de Nuno significaria mostrar que eu havia superado os limites do diagnóstico do médico que havia me operado quase quinze anos antes. Talvez eu não conseguisse realizá-las num prazo de dois anos, mas o importante para mim era ser capaz de realizá-las. Comecei então a treinar e a fazer tudo o que Nuno me pedia que fizesse.

Em semanas comecei a sentir um ganho de força, coordenação e equilíbrio nunca antes sentidos na vida. A cada novo encontro com Nuno, ele se espantava como eu havia evoluído, e para que eu não me desmotivasse e seguisse firme no processo evolutivo de seu treinamento, Nuno me passava novos exercícios. Apenas três meses haviam se passado e eu já estava quase pronto para dar minha primeira oitava. Nuno não acreditava. Era completamente inimaginável um aluno ter conseguido chegar àquele nível tão rápido. Imagine então um aluno com os dois ombros operados e com um diagnóstico nada animador do médico que havia realizado a cirurgia.

Marcamos então no quintal de sua casa, onde Nuno tem uma barra de exercícios, para que eu tentasse realizar minha primeira oitava. Dois dias antes da data que havíamos marcado, nasceu minha filha, e eu estava no hospital pensando se deveria desmarcar o encontro e remarcá-lo para outro dia, ou sair rapidamente do hospital onde estava minha filha recém-nascida para tentar realizar aquilo que para mim seria um dos grandes feitos de minha vida. Resolvi ir ao encontro de Nuno.

Chegando a sua casa, Nuno pediu que eu aquecesse, e fomos para a barra. Ergui meu corpo com a força de meus braços, subi a perna com a força de meu abdome e, coordenando todos os meus músculos, girei o corpo sobre a barra num dos movimentos mais reveladores e fantásticos que já realizei na vida. Eu havia conseguido! Não sei quem estava mais feliz, eu ou Nuno. Nós ríamos e nos abraçávamos como se tivéssemos conquistado a montanha mais alta do mundo. Eu havia superado todos os meus limites. Nuno então me disse que naquele dia eu havia acordado com um cérebro e iria dormir com outro.

Coincidentemente ou não, naquela semana, acertei as bases do contrato que resultou na edição deste livro e fechei uma das mais importantes negociações de minha carreira, que estava tentando realizar havia meses. Aquele foi o primeiro dia do resto da minha nova vida.

Trabalhar o corpo para chegar à mente

Nuno Cobra repete com frequência que seu método busca trabalhar o corpo para chegar à mente, e trabalhar a mente para elevar o espírito.

Era uma quarta-feira quando o telefone tocou em São Paulo. Minha avó de 91 anos estava muito mal no Rio de Janeiro. Dona Wanda, como a chamamos, é talvez uma das pessoas mais adoráveis que conheço. Aos 91 anos, tem uma lucidez que deixaria muitos jovens de 30 impressionados e faz questão de acolher e dar carinho a cada um dos 7 filhos, 18 netos e 15 bisnetos. Sabe a data de aniversário de todos, as provas que têm na faculdade, as entrevistas de emprego pelas quais estão passando, e sempre tem uma palavra para motivá-los e confortá-los. Dona Wanda tinha contraído uma infecção que atingira todas as suas articulações. Não conseguia se levantar da cama, seus membros estavam muito inchados e, para piorar o quadro, sua pressão estava em 21 por 13.

As notícias eram péssimas, mas pior do que as notícias foi a atitude que pude perceber ao telefone. As pessoas mais próximas a minha avó estavam desanimadas e diziam que ela tinha desistido de lutar. Estava entregue à doença, esperando que seu corpo em algum momento parasse de funcionar. Soube ainda que algumas pessoas também próximas a minha avó tinham tido visões de que ela estava se despedindo, nas quais podiam ver pessoas queridas que já haviam morrido em volta do corpo de minha avó deitado na cama.

Aquilo tudo estava errado para mim. Afinal, uma coisa é respeitar as crenças, as fraquezas e os medos das pessoas, outra é aceitar que com base em visões e cansaço as pessoas entreguem os pontos e as esperanças. Eu precisava fazer alguma coisa. Falei então para uma de minhas tias que também tinha tido uma visão em um sonho na qual minha avó caminhava cheia de saúde e sua doença havia melhorado completamente. Por certo, era tudo uma invenção minha, mas, como último recurso, vi que para animá-la tinha de usar dos mesmos artifícios que estavam desanimando aqueles que estavam ao seu redor. E comprei uma passagem de avião para ir visitá-la no sábado de manhã.

Cheguei ao Rio de Janeiro ao meio-dia e, curiosamente, naquele sábado tinha participado do encontro mensal de pupilos de Nuno, durante o qual nos exercitamos, conversamos e ouvimos as lições do mestre. Antes de deixar o encontro, perguntei a Nuno o que poderia fazer para ajudar minha avó. Nuno me respondeu que o homem foi feito para viver muito mais de cem anos, e que ela precisava fazer com que seu corpo ganhasse saúde para assim alimentar sua mente e sair da situação de convalescência. Naquele momento tive uma ideia! Do aeroporto fui direto para a casa de minha avó, no bairro da Gávea. Quando cheguei, minha avó não tinha visitas e pude me sentar do lado de sua cama e ficar com ela a sós.

Ao me ver, seu rosto se abriu em um delicioso sorriso. Como aprendi com Nuno e com Monty, em vez de destacar sua doença, falei para ela como estava com um sorriso bonito, como suas mãos estavam desinchadas e como sua voz estava firme. Como aquele menino que chega com um boletim com notas azuis e vermelhas para o pai, aquele era o momento de destacar as notas azuis de minha avó. Todos já estavam se concentrando demais nas notas vermelhas, e alguém precisava mostrar que existiam notas azuis naquele boletim.

Sentei-me ao seu lado, segurei sua mão entre as minhas e comecei a acariciá-las, observando as veias na pele alva marcada pelo tempo. Já havia começado a escrever *Encantadores de vidas* e resolvi ler para ela um dos capítulos. Seus olhos me fitavam marejados, e seu rosto alternava sorrisos com momentos de absoluta atenção, durante os quais pude ver que sua mente absorvia todos os ensinamentos de Monty e Nuno daquele breve trecho da obra.

Resolvi então pôr em prática o plano que havia desenhado ouvindo as palavras de Nuno algumas horas antes.

Desde os anos 1950 Nuno defende a capacidade do corpo de impactar a mente. Seu discurso sempre se baseou na capacidade de nos tornarmos mais inteligentes, concentrados e emocionalmente inteligentes por meio da evolução de nosso corpo. Quando sua teoria surgiu, Nuno foi considerado louco. E continuou sendo tachado dessa forma nas décadas seguintes. Seus alunos tornavam-se campeões nas mais diversas modalidades esportivas, curavam males seriíssimos, mas a ciência não aceitava que aquilo fosse possível. Até poucos anos atrás, já na década de 2000, quando a ciência descobriu a neurogênese e percebeu que, ao caminhar, estávamos fabricando neurônios, dando assim razão ao que Nuno vinha dizendo havia muito tempo.

Monty também usa o corpo de seus cavalos para trabalhar suas mentes. Num dos exercícios que faz, utiliza a corda que tem nas mãos, presa na outra extremidade no cabresto do cavalo, para ensiná-lo a segui-lo. A reação normal das pessoas seria puxar o cavalo até que a força empregada na corda fizesse com que o cavalo seguisse naquela direção. E a tensão na corda só deixaria de existir no momento em que o cavalo chegasse próximo daquele que o puxasse. Monty faz o contrário. Ele estica a corda, mas, no exato momento que o cavalo dá um passo em sua direção, solta a corda. Nesse momento o cavalo percebe que andar naquela direção significa um alívio de pressão no cabresto, por isso aprende que andar naquela direção é algo positivo. Monty então repete o procedimento algumas vezes, até que o cavalo queira ir em sua direção, sem que faça qualquer força. Usar o corpo para chegar à mente.

Meu plano com minha avó envolvia esse conceito, descoberto por Nuno e tão bem empregado por Monty. Disse a minha avó que ela ia convencer sua mente de que estava melhorando, e não de que estava piorando, como muitos estavam fazendo-a pensar. Disse a minha avó que queria que ela desse a partir do dia seguinte dez passos, numa curta caminhada. Passos gostosos, devagar o suficiente para não se cansar. Respirando fundo, sentindo o ar entrar nos pulmões e levando vida ao sangue e a todo o corpo. Passos olhando não as pessoas ao seu redor, mas as árvores através da janela, os títulos dos livros da estante e imaginando suas histórias, coisas que levassem sua mente a trabalhar. No dia seguinte, ela deveria dar quinze passos. No outro, vinte. E assim por diante, até que completasse cinquenta passos. Eu disse a ela que sua mente iria notar que a cada novo dia ela estava dando mais passos e faria uma associação direta com seu estado de saúde. Se estava dando mais passos a cada dia, era porque a cada dia tinha mais saúde. Iríamos então implantar em sua mente o conceito de melhora, não de piora, e quem seria o responsável por colocar isso em sua mente seria seu corpo. Minha avó sorriu, aprovou o plano e prometeu que faria aquilo que havíamos combinado. Ficamos mais um pouco juntos e voltei para São Paulo.

Na quarta-feira da semana seguinte recebi outro telefonema. Era meu pai do outro lado da linha. Estava ao lado de minha avó em sua casa na Gávea. Disse-me que tinha um recado dela. Ela dizia que estava seguindo o exercício todos os dias e que estava se sentindo muito melhor. Sua pressão havia voltado para 13 por 8, suas articulações tinham desinchado quase completamente e seu humor, esse estava como havia muito tempo não se via: leve e lindo!

Conclusões

As cinco pessoas que mais influenciaram minha vida tinham mais de 70 anos: meu avô, uma freira, um psicanalista, um domador de cavalos e um preparador físico. É claro que as lições e os exemplos dados por meus pais foram as primeiras linhas a preencher a folha em branco da minha mente nos meus primeiros anos de vida, e por elas serei eternamente grato. Mas foram esses cinco que me guiaram para chegar aonde ninguém havia chegado.

A primeira impressão seria a de que pessoas que escolheram caminhos tão diferentes para suas vidas pouco teriam em comum. Em comum, em princípio, tinham apenas o fato de serem especiais e completamente diferenciadas naquilo que faziam. Meu avô era talvez a pessoa intelectualmente mais brilhante que conheci, e o prêmio dado aos melhores alunos da Universidade Federal Fluminense leva até hoje seu nome. A freira a quem me refiro era certamente a pessoa mais espiritualizada e agregadora com a qual tive contato até hoje. O psicanalista, aquele que melhor discorreu sobre a natureza humana. E sobre os outros dois pude contar um pouco no decorrer deste livro.

A verdade é que as experiências que vivi durante estes últimos anos com Monty e Nuno me abriram os olhos e a mente para o quanto essas pessoas tinham em comum. É certo que todos seguiram caminhos diferentes, mas parecem ter chegado muito próximo de entenderem a essência da vida. E o fato de seus caminhos levarem aparentemente ao mesmo lugar talvez sirva, se não como prova, pelo menos como indício de que tal essência seja realmente a que mais se aproxima da verdade.

Imaginem, como metáfora, uma pedra sagrada que explica tudo que existe. Algumas pessoas na Terra seriam escolhidas para estar com essa pedra e depois contar aos outros como era. Essas pessoas, ao verem a pedra, a tocariam, sentiriam seu peso, sua textura, veriam sua cor, sua temperatura e outras características que pudessem perceber. Quando retornassem aos seus lares, revelariam aquilo que mais chamara sua atenção. Um discorreria sobre o peso da pedra. Outro sobre sua cor. E outro ainda falaria de sua textura. Todos então saberiam de algo especial, fantástico, que ajudaria a entender a razão da existência. O mais próximo que se poderia chegar da verdade, porém, seria ter contato com todas as pessoas escolhidas e reunir aquilo que tinham a dizer sobre a pedra.

É esta minha intenção com este livro. Oferecer, com base nos ensinamentos desses dois mestres, lições que possam tornar a vida das pessoas mais completa, mais repleta de razão e também mais vitoriosa e divertida. Nuno e Monty fizeram vários campeões, e todos têm em comum o fato de estarem se divertindo ao fazer aquilo em que mais se destacam.

Uma frase de Monty talvez seja a que mais importa em todo este livro, e não por coincidência parece ter sido dita por Nuno em razão de seu conteúdo. *O único verdadeiro presente que podemos dar aos outros é nosso tempo, e o único verdadeiro presente que podemos dar a nós mesmos é nossa saúde.*

Ou seja, qualquer outro presente que possamos dar não é algo que venha verdadeiramente de nós. Uma camisa, um carro ou mesmo um apartamento são bens que não são nossos, e, por isso, ao oferecer tais objetos, podemos até estar presenteando alguém, mas não com a essência do que somos. Pois somos o tempo que vivemos, e somente ao doarmos um pouco dele estaremos cedendo também um pouco de nós.

Nossa saúde igualmente é o único bem que podemos conceder a nós mesmos e que realmente significa um presente, pois ela pode nos conceder mais tempo de vida. Monty e Nuno me deram seu tempo, que é o maior presente que eu poderia querer dos dois. São pessoas especiais, adoradas por milhares, talvez milhões de pessoas ao redor do mundo, mas se mantêm fiéis a seus princípios e conceitos. São apenas quem são e, mantendo-se assim, chegaram aonde chegaram.

Uma frase de Santo Agostinho nos ensina, em sua versão em latim, que *Nec major in laude nec minor in vituperio*. A tradução livre seria: "Nem sou maior quando me elogiam, nem sou menor quando me criticam." Creio que só consegue ser fiel a essa frase quem é forte, convicto do que é e do que sabe.

Monty e Nuno viveram vários momentos nos quais poderiam se deixar levar pelas críticas, permitindo que sua autoconfiança fosse abalada. Afinal, suas ideias eram revolucionárias e contrariavam tudo aquilo que se acreditava na época em que surgiram.

Monty defendia que todo ato violento fosse definitivamente banido do relacionamento entre homens e cavalos numa época em que quase todas as práticas de doma eram violentas. Nuno afirmava que uma atividade física dentro da zona de conforto era capaz de organizar o corpo, potencializar seu desenvolvimento, atingir a mente e culminar com o desenvolvimento do espírito. Ambos foram tachados de loucos, e suas ideias foram consideradas inócuas.

Os dois têm, no entanto, algo em comum. Ambos experimentaram pessoalmente o resultado de suas técnicas e mantiveram a convicção de que eram eficazes. Foram capazes de se manter fiéis a seus princípios e acreditaram que o tempo traria aceitação a suas ideias.

Estavam certos e, como eu já disse, em certo momento da vida, tiveram apoio de dois grandes formadores de opinião: Monty, a rainha da Inglaterra, e Nuno, o tricampeão mundial de Formula 1 Ayrton Senna. A partir desse momento, o mundo passou a idolatrá-los, e tiveram de lidar com a outra face da moeda — a de não se deixarem levar pela ilusão de serem melhores do que realmente eram. Ambos continuaram sendo as mesmas pessoas. *Nec major in laude.*

Todos somos testados em vários momentos de nossas vidas. E, se não tivermos saúde, confiança no que somos e a capacidade de seguir em frente, ficaremos pelo caminho. Por isso a importância de se preparar física e mentalmente, de se tornar forte o suficiente para, em alguns momentos, seguir sozinho se houver necessidade. Sozinho, mas feliz.

Pouco tempo depois de conhecer Monty e Nuno, passei por um dos momentos mais delicados de minha vida pessoal. Sempre achei que, se precisasse, teria o apoio incondicional de minha família e de meus melhores amigos. A vida me mostrou que eu estava errado. Naquele momento, quando mais precisava de todos eles, fui deixado sozinho. Não recebi durante todo esse período um telefonema sequer de apoio. A não ser uma única ligação de meu irmão, que queria saber como eu estava passando.

Eu, porém, estava me sentindo muito forte, talvez como nunca houvesse me sentido em toda minha vida. Era capaz de seguir sozinho, e enfrentar o mundo se fosse preciso, na busca de minha felicidade. *Nec minore in vituperio.* Eu não era pior porque eles não estavam do meu lado, eu continuava sendo o que era.

Nuno esteve do meu lado durante todo o tempo. Falávamo-nos ao telefone, nos encontrávamos em seu escritório, saíamos para lanchar juntos. E em um dado momento, quando falei que estava sendo difícil ouvir todos me julgando e me aconselhando a escolher a opção mais fácil, mesmo sabendo que era a opção que me deixava menos feliz, Nuno me disse:

— Eduardo, ninguém pode ser culpado por buscar a felicidade. Deixe que os outros falem, mas siga seu caminho convicto daquilo em que você acredita. Lembre-se de quando eu o aconselhei a começar o treinamento caminhando vagarosamente pelo parque. Todos o ultrapassavam e tinham a certeza de que você estava fazendo o treino de forma errada. Mas você seguiu em frente, convicto de que estava tomando a atitude certa e que o tempo mostraria o resultado. Hoje você alcançou um preparo que poucos alcançam, mas para isso teve de acreditar, sozinho, que estava no caminho certo.

Hoje eu entendo que ser feliz é muito sedutor. E quando me refiro ao poder de sedução da felicidade não estou me restringindo ao aspecto sexual da sedução. Refiro-me ao poder de atrair as pessoas para próximo de si. Ser rico em muitos casos é sedutor. Ser famoso pode também ter o poder de atrair pessoas para perto, assim como o fato de possuir uma beleza acima da média. Mas ser feliz tem um poder maior de sedução do que todos esses outros aspectos somados. E o motivo me parece simples. Estar próximo de uma pessoa rica, famosa ou bela não torna ninguém rico, famoso ou belo. Estar, porém, perto de uma pessoa feliz nos torna felizes, o que, em última instância, é o objetivo primordial da vida de todos nós.

Monty e Nuno são pessoas extremamente felizes e confiantes. Assim como a felicidade, a confiança é igualmente capaz de seduzir. Ficar perto de Monty e de Nuno faz-nos sentir maiores, capazes de fazer o que nunca imaginamos possível, e por isso queremos estar sempre perto deles. Foi essa capacidade de seduzir e inspirar tantas pessoas que os transformou nos líderes que são.

Com esses dois profissionais aprendi que na vida realmente nada é impossível. Na clínica de Monty, apenas observando suas demonstrações, consegui aprender em cinco dias o mesmo que a maioria de seus alunos aprende num prazo de três anos. Com Nuno, me recuperei de uma séria lesão no mesmo prazo que atletas olímpicos se recuperam. Ambas as coisas pareciam impossíveis antes de serem feitas. Ambas foram realizadas.

Certo dia, conversando com um amigo, ouvi a frase *Nesta vida de certo apenas a morte*. Se me permitem uma abstração filosófica, até dela aprendi a duvidar. Afinal, só acreditarei nela no dia em que acontecer comigo, porque, até lá, não tenho motivo algum para crer que realmente exista.

Acredito que todos podem se tornar campeões. Todos podem emagrecer, ficar fortes, tornar-se confiantes e dominar uma técnica ou habilidade que nunca imaginaram. Nuno e Monty tiveram uma infância que nem de longe apontaria para o futuro brilhante que tiveram. Mas foram capazes de vencer assim mesmo.

Da freira sobre quem comentei no começo deste capítulo, cujos ensinamentos guardo com todo carinho até hoje, aprendi que não há vitória sem riscos. Vencer significa submeter-se a riscos, preparar-se previamente para vencê-los e só então alcançar novos patamares. A definição de risco é a de incerteza, e não há como se chegar a um novo lugar acreditando só em certezas. Vencedores experimentaram riscos — todos eles.

Meus mestres têm mais de 70 anos, repito. Num mundo onde pessoas com essa idade são muitas vezes deixadas à margem da sociedade, eles me ensinaram a lição de que sabedoria só se adquire com os anos. Aí está guardado o verdadeiro tesouro do conhecimento, nas pessoas que viveram intensamente suas vidas, correram toda sorte de riscos e conquistaram seus lugares ao sol, chegando aonde nenhum outro havia chegado.

Aprendi também a sempre agradecer as coisas que me acontecem na vida. Meu primeiro tombo me levou a Monty. Meu segundo tombo me aproximou de Nuno, como contei, e me fez redescobrir minha relação com meu filho. Sem os dois, nada do que tenho vivido existiria. Nem Monty, nem Nuno, nem este livro. Certamente os dois estão entre os momentos de maior sorte de toda minha vida.

Considero-me ainda nos primeiros passos daquilo que tenho a aprender com esses dois mestres. Sei que ainda passarei por momentos difíceis, que precisarei provar que realmente acredito no caminho que estou seguindo. Como a espada que é forjada a golpes em altas temperaturas, assim também é a alma de um guerreiro. Os golpes da vida tornam o espírito mais forte. São os momentos em que me sinto de alguma forma inábil que me incentivam a voltar à sala de aula da vida.

Relembro finalmente a frase que foi uma constante neste livro e que há anos tem guiado minha jornada. "Se você quer chegar aonde ninguém chegou, deve fazer o que ninguém jamais fez." Da mesma forma, dizem que a definição de loucura é esperar um resultado diferente fazendo o mesmo que os outros fazem. Pois eu digo para não terem medo de arriscar. Preparem-se com afinco para vencer. Ofereçam parte de seu tempo aos outros, e com a parte que sobrar busquem adquirir saúde. Mas nunca desanimem se acharem que as coisas não deram certo no fim, porque a verdade é que não há um fim. O que existe é sempre um começo.

Apêndice

Cartas para Monty

Sempre gostei de escrever textos logo depois de ter vivenciado alguma experiência que me sensibilizou. Acho que só assim consigo passar às palavras aquilo que realmente senti naquele instante. Alguns dos momentos mais fascinantes que experimentei como consequência de minha convivência com Monty Roberts estão descritos em seguida. Além das palavras, todos eles têm um pedaço de mim em suas linhas. São as cartas que escrevia a Monty toda vez que passava por algo que me tocava e que me sentia no dever de transmitir ao mestre.

Meu primeiro *Join Up*

Ter participado da clínica de Monty Roberts foi fantástico, ponto final! Nunca tive certeza, porém, se algum dia eu mesmo conseguiria aplicar seus métodos. Eu sabia o que fazer, tudo bem. Mas normalmente saber o que fazer pode não ser suficiente. Algum dia eu ainda colocaria à prova esses ensinamentos, e esse dia chegou. Foi na fazenda de um amigo.

Ele treina meus cavalos e tem uma ótima infraestrutura em sua fazenda, o que inclui um excelente redondel, bem similar ao que Monty Roberts usa para trabalhar seus cavalos na Flag is Up Farms. Ele estava empolgado com minha viagem à clínica de Monty Roberts e me convidou para mostrar os equipamentos que havia trazido, bem como as técnicas que aprendera. Cheguei a sua casa às onze da manhã com meu Dually Halter (cabresto especial desenvolvido por Monty Roberts) e minhas Long Lines (cordas especiais também criadas por Monty).

Meu amigo olhou os equipamentos e sugeriu que pegássemos um potro pampa xucro de 2 anos, de sua propriedade, que somente fora treinado a usar o cabresto para trabalhá-lo no redondel. Na verdade, nem isso, pois foi difícil colocar o cabresto para iniciar nosso treinamento. Era o mais perto que eu poderia chegar de ter um cavalo nunca antes tocado para trabalhar.

Conduzi o animal ao redondel já corrigindo-o durante o caminho. Fazia com que desse alguns passos para trás quando tentava andar na minha frente, ensinava-o a parar quando eu parava e a se manter parado enquanto eu não me movesse. Pude perceber que ele aprendia rápido, e isso me ajudou a ganhar confiança.

Chegamos ao redondel. Algumas pessoas sentaram-se nas arquibancadas para observar. Soltei a corda do cabresto do potro e comecei o processo de *Join Up*.

Olhei o cavalo nos olhos e o mandei embora. Com meus ombros perpendiculares aos seus, olhos fixos nos seus, postura firme, lancei a corda perto de sua garupa, colocando-o para correr em círculos. Algumas voltas e sua orelha já estava trancada na minha direção. Disse para meu amigo: "Este é o primeiro sinal." Então, mudei sua direção, movendo meu olhar à frente de seu movimento, e ele respondeu perfeitamente.

A essa altura estava esperando vê-lo mastigar e lamber os lábios, mas antes disso ele começou a fazer círculos menores. "Está bem", disse a meu amigo, "este é outro sinal que eu estava esperando." Mais algumas voltas e ele começou a mastigar e a lamber seus lábios.

Expliquei aos espectadores que já tínhamos três dos quatro sinais necessários. Ainda precisávamos ver o último. Mudei novamente sua direção e, ao levantar meus braços e abrir minhas mãos, aumentei a velocidade do cavalo. Depois disso, encolhi vagarosamente os braços, fechei os dedos e... adivinhem? O cavalo abaixou a cabeça e me deu o último sinal de que eu precisava. Foi uma surpresa ver que os cavalos no Brasil também leem os livros de Monty Roberts...

Ao redirecionar meus olhos à frente dos seus, fiz com que o cavalo parasse no lado oposto ao portão de entrada do redondel. Andei em sua direção, cruzei meus olhos com seu corpo, olhando-o no peito, posicionei meus ombros a um ângulo de 45 graus em relação a ele, andei alguns passos à frente e esperei o momento mágico acontecer. E aconteceu! Eu simplesmente não podia acreditar quando notei que ele estava se movendo em minha direção. Logo seu nariz estava encostado em meu ombro direito, e ninguém (incluindo eu) podia acreditar no que estava vendo. Gentilmente, acariciei sua testa, virei-me de novo de costas e continuei a caminhar com ele me seguindo por todo o redondel, em todas as direções. O processo inteiro levou cinco minutos. Era difícil acreditar que aquele era o mesmo cavalo que alguns minutos antes não queria nos deixar colocar o cabresto.

Disse a meu amigo que, se fôssemos domar o cavalo, deveríamos levar a sela, apresentá-la ao animal etc, etc, etc. A teoria é fácil e, afinal de contas, eu já tinha feito o que havia proposto. Mas meu amigo estava tão empolgado que falou: "Tenho tudo aqui! Vamos, então, trazer a sela e domar este cavalo agora!" Ops... E agora? Bem, decidi tentar. Afinal, nas duas semanas anteriores não tinha havido um dia sequer em que eu não houvesse estudado tudo o que tinha filmado na fazenda de Monty, e isso incluía a iniciação de cavalos. O mais importante, entretanto, era que eu sentia que aquele cavalo estava me dizendo que podia seguir em frente. Sim, ele me fez sentir tão à vontade com o *Join Up* e estava reagindo tão calmamente aos meus comandos que já éramos um time.

Levamos a sela para o redondel e a colocamos no chão. Imediatamente, o potro notou um novo predador na área. Deixei que ele andasse ao redor da sela, cheirasse-a, a tocasse com o nariz e percebesse por conta própria que não representava um perigo. Ele já havia me dado suas patas, deixado que eu acariciasse seu pescoço, sua barriga e sua garupa.

Diante dessas circunstâncias, coloquei-o para correr e fiz um novo *Join Up*, desta vez ainda mais rápido do que o primeiro, com a sela no chão do redondel. Depois, calmamente e de forma bem suave, coloquei a sela sobre suas costas, parte a parte, amarrei os estribos sob sua barriga e o mandei correr novamente, para o terceiro *Join Up* do dia. Pouquíssimos saltos. Acho que nem foram percebidos por quem assistia, e ele rapidamente se sentiu confortável com a sela, andando em círculos como antes. Ele parou, me deu o sinal, e lá estávamos nós novamente juntos, eu na frente e ele com o nariz colado a meu ombro, seguindo-me pelo redondel.

Peguei as *Long Lines*, passei por dentro dos estribos e comecei a rodá-lo. Um pouco complicado nas primeiras voltas, mas logo me acostumei. Era chegada a hora de apresentá-lo a sua primeira curva guiada para a esquerda, e... ele fez! Uma para a direita, agora. Mais algumas curvas. Os primeiros passos guiados para trás. E bastava para um primeiro dia com as cordas.

Era o momento de apresentá-lo ao cavaleiro. Meu amigo, cavaleiro experiente, caminhou até sua lateral e fez tudo que pedi. Primeiro o acariciou e fez com que se sentisse confortável com sua presença. Então, apoiando as mãos na sela, deu alguns pequenos pulos ao lado do cavalo. Como não tivemos uma reação negativa do cavalo, a recompensa positiva foi o levarmos para uma volta no redondel. Fizemos isso novamente, e uma terceira vez.

Depois disso, ajudei meu amigo a apoiar o peito sobre a sela, ficar uns segundos e descer. Sem reação negativa! Ótimo! Vamos dar outra volta e relaxar. Mais algumas repetições, e pedi que meu amigo ficasse com o peito apoiado sobre a sela enquanto eu conduzia o potro por alguns passos. Funcionou, e assim que o cavalo parou, meu amigo desceu. Mais recompensa para o cavalo. Eu podia notar que todo o processo era assimilado pelo "computador" do animal.

Em seguida, pedi que meu amigo passasse a perna sobre a sela vagarosamente. O potro não se moveu. Pedi, então, que descesse para que o cavalo percebesse que não era uma coisa ruim. A seguir, fiz o mesmo, só que, dessa vez, puxando o potro alguns passos. O cavalo parou, meu amigo desceu e recompensei o animal novamente.

O processo estava quase completo. O momento final havia chegado e eu sabia que funcionaria. Coloquei meu amigo sobre o cavalo, ele passou as pernas sobre a sela, liberei a corda que estava presa ao cabresto e deixei o potro livre com meu amigo. Bingo! Nenhum salto, nenhuma reação ruim, apenas um cavalo e um cavaleiro se divertindo. Pedi que meu amigo fizesse vagarosamente uma curva para a direita. Sim! Funcionou! Agora para a esquerda. Que parasse o cavalo. Tudo funcionava como um sonho. Meu amigo, então, desceu do cavalo. Repetimos esse processo da montaria ainda mais uma vez.

Tudo demorou cerca de 40 minutos. Ninguém acreditava no que via. Meu amigo disse-me que, normalmente, demoraria muito mais para chegar àquele estágio com o potro, e como parte de seu método teria travado o pescoço do potro, impedindo-o de pular. Fomos capazes de domar um potro de apenas 2 anos em 40 minutos, sem violência, sem restringir qualquer movimento dele e sem observar um pulo sequer! Foi um dos momentos mais incríveis de minha vida.

Hoje sei que esse sentimento só pode ser compreendido por aqueles que já passaram por isso antes. É mágico.

A VOLTA AO CURSO DE MONTY ROBERTS

Escrevo estas palavras ainda sensivelmente tocado por todos os segundos vividos intensamente durante minha última semana na fazenda de Monty Roberts, na Califórnia.

Não foi uma escolha fácil voltar ao curso de Monty este ano. Primeiramente porque acabo de abrir um novo negócio no Brasil e, por ser um dos sócios fundadores e estar diretamente ligado a várias atividades da empresa, tempo tem sido um recurso realmente escasso. E também meu lindo filho, Francisco, acaba de nascer. Tenho certeza de que minha mulher esperava que meus primeiros dias livres fossem dedicados a passar mais tempo com ele. Ainda havia a festa de 90 anos de minha querida avó, que aconteceu coincidentemente na semana programada para o curso. E, por último, havia sempre a questão de já ter feito o curso anteriormente, o que talvez significasse mais do mesmo.

Decidi ir assim mesmo, desafiando o que a boa lógica apontaria como o correto. Aliás, há muito tempo venho vivendo minha vida assim, desafiando a lógica, seguindo minhas crenças e, acima de tudo, meu coração. Eu sabia que devia ir, mas não sabia explicar por quê. O ano anterior já havia sido fantástico, representando um divisor de águas em minha vida, mas eu tinha a certeza de que esse ano poderia ser também especial. Ao contrário do que meus amigos afirmavam, sabia que o curso não seria o mesmo, e eu certamente também era uma pessoa diferente de um ano antes. De acordo com Heráclito, filósofo grego, um homem nunca se banha duas vezes no mesmo rio, pois as águas passam e o homem muda.

Assim, parti. E a semana foi cheia de surpresas. E também repleta de coisas novas para aprender. Se, na primeira vez, minha preocupação era aprender os conceitos por trás dos métodos de Monty Roberts, agora meu objetivo era mergulhar fundo em sua filosofia de vida. Eu estava em busca do que suas palavras escondiam. E realmente acho que essa filosofia é capaz de transformar um grande profissional de *horsemanship* em um "homem que ouve cavalos". A filosofia de Monty pode significar um soco no estômago para muitos amantes desses animais. Em muitos momentos, é difícil de assimilar e aceitar. Como quando Monty afirma que nenhum cavalo é capaz de amar um ser humano — pelo menos não da maneira como imaginamos o amor.

Nada pode ser pior para uma plateia que viajou dezenas de milhares de quilômetros para aprender conceitos que possam aproximá-los de seus cavalos do que ouvir algo assim. Muitos reagem com raiva e apontam suas armas para o *cowboy* americano que lhes traz a mensagem. O que eles não se perguntam, porém, é como alguém pode dedicar toda a vida a uma espécie apesar de saber que não terá seu amor retribuído na mesma moeda. O que eles não enxergam é que o verdadeiro amor, o amor incondicional, só existe realmente quando não exige nada em troca. Quantos de nós seríamos capazes de suportar esse tipo de amor incondicional por esses animais? Monty parece ser um dos poucos.

Amar incondicionalmente o que fazemos, ou para quem fazemos, torna a vida feliz. E como Monty disse-nos durante essa semana, você pode perceber se alguém é feliz naquilo que faz perguntando qual é o melhor dia de sua semana. Se é a sexta, é um mau sinal; a resposta deve ser a segunda para aqueles que estão em paz com suas vidas. Ainda nesse sentido, Monty nos ensinou que o único verdadeiro presente que podemos dar aos outros é nosso tempo, ao passo que o único e verdadeiro presente que alguém pode dar a si mesmo é sua saúde. E, sendo feliz e saudável, tudo faz sentido; talvez este seja o segredo do bom humor, do equilíbrio e da sabedoria de Monty.

Mas o que tudo isso tem a ver com o que Monty consegue fazer com os cavalos no redondel? Pode parecer loucura, mas eu acho que muito. É isso que o faz conseguir, aos 75 anos, passar uma semana nos demonstrando suas técnicas sem mostrar dor ou cansaço, mesmo depois de ter fraturado o dedo em consequência de uma pisada de um cavalo logo no primeiro dia de apresentação. É isso que faz seu batimento cardíaco — que, assim como os batimentos dos indóceis cavalos trabalhados, passou a ser monitorado a partir desse curso — manter-se em níveis tão baixos que alguém só os atingiria em estado de meditação. É isso que lhe dá clareza de pensamento para adaptar suas técnicas instantaneamente quando as coisas não saem como o esperado.

A diferença entre um vinho que custa 50 reais e um que vale 5 mil está nos detalhes. A filosofia de Monty não trata dos detalhes em si, mas, com certeza, são os detalhes que o fazem tão diferente do domador de cavalos comum. São eles que fazem com que seja capaz de ouvir os cavalos enquanto todos os outros apenas os veem.

No terceiro dia de curso, Monty me preparou uma surpresa. Pela primeira vez em mais de uma década, ele anunciou que iria permitir que um de seus alunos — segundo ele o melhor que teve durante todo esse tempo — entrasse no redondel e demonstrasse a técnica do *Join Up* para todos. Fui convidado para fazê-lo.

No dia anterior, num restaurante chinês, meu biscoito da sorte trazia a mensagem de que um milagre aconteceria em breve comigo. Sou daqueles que acreditam que a diferença entre o que chamamos de milagre e o que não chamamos está em nós. E acredito que ter essa chance, algo que certamente contarei a meus netos, foi um verdadeiro milagre.

Guardarei todos esses momentos para melhorar minhas técnicas com os cavalos e a vida em si. Tenho certeza de que meus cavalos notarão a diferença. E sei também que esse é só o começo de uma longa e prazerosa caminhada.

Um certo Monty Roberts

Monty Roberts, conhecido como "O homem que ouve cavalos" teve uma vida extraordinária. Foi ganhador de inúmeros prêmios como treinador desses animais, autor de best sellers, dublê de atores em Hollywood, pai adotivo de 47 crianças (além de seus três filhos biológicos) e criador da mundialmente famosa e revolucionária técnica conhecida como *Join-Up*.

Esse homem tão empreendedor já ganhou inúmeros títulos e mereceu grande cobertura da imprensa mundial. Com três livros seus na lista dos mais vendidos do *New York Times*, Monty treinou membros do centro equestre da Rainha Elizabeth II e foi condecorado como Doutor Honorário pela Universidade de Zurique.

Ele poderia se aposentar. Mas, se você quiser encontrar Monty Roberts, não vai achá-lo balançando-se numa cadeira, contemplando seus cavalos na bela fazenda no Vale de Santa Ynez, na Califórnia.

O homem que ouve cavalos é mais facilmente encontrado mundo afora, divulgando sua mensagem de não violência.

Se você o vir, possivelmente ele estará dando uma palestra para jovens infratores num centro de detenção juvenil, ou trabalhando seu décimo milésimo cavalo numa demonstração pública; quem sabe até ensinando suas técnicas para inúmeros alunos no Centro Equestre em Solvang, na Califórnia, ou talvez aconselhando executivos das empresas que compõem a lista da *Fortune 500*.

Muitos questionam por que milhões de pessoas de todos os cantos do mundo apreciam com tanta paixão os documentários sobre Monty nos canais abertos de TV, adoram suas aparições na mídia e leem seus livros. Afinal, o que faz com que a mensagem de Monty seja tão influente a ponto de instituições que vão desde a CIA, nos Estados Unidos, até a Volkswagen, na Alemanha, convidarem esse *cowboy* para partilhar experiências com seus executivos e líderes?

Talvez a resposta esteja no inquestionável poder da experiência pessoal de Monty. Ele testemunhou muitos cavalos serem "quebrados" com métodos brutais, usados tradicionalmente. Talvez esteja em sua experiência de ter sido ele próprio uma criança que teve uma educação violenta. Por isso Monty sempre diz que seu objetivo na vida é tornar o mundo um lugar melhor para os cavalos... e também para as pessoas.

Com energia e entusiasmo, ele acorda cedo todos os dias — muitas vezes num hotel bem longe de sua cidade natal, de seus cavalos, de sua equipe e da fazenda — para continuar falando para seu público; e, o que é muito bom, também ouvindo a todos que o ouvem.

Monty aprendeu a "ouvir" cavalos inicialmente enquanto observava equinos selvagens, da raça mustangue em Nevada, quando tinha apenas 13 anos. Enviado para capturar esses animais para a corrida de cavalos selvagens da Associação de Rodeio de Salinas, Monty passava horas observando-os interagir uns com os outros. Foi dessa forma que notou que eles usavam uma linguagem corporal notável, efetiva e previsível para se comunicar, definir limites, demonstrar medo ou incômodo, tranquilidade ou afeto.

Num momento que mudaria sua vida — a vida dos cavalos e das pessoas — para sempre, Monty entendeu que, utilizando essa linguagem silenciosa, seria capaz de treiná-los de um jeito muito mais efetivo e humano, incentivando uma parceria verdadeira entre homens e cavalos. Posteriormente ele chamaria esse momento de parceria de "*Join Up*" — que se tornaria a base de todo seu trabalho com cavalos e pessoas.

Após essa revelação, Monty retornou à casa de sua família, onde havia uma escola de montaria, em Salinas, e aconteciam os famosos "Rodeios de Salinas". Lá ele crescera assistindo a seu pai "quebrar" cavalos, utilizando para isso os métodos tradicionais, que envolviam dor, medo e coerção. Monty resolveu utilizar algumas de suas novas ideias, mas foi imediatamente punido por desafiar os métodos paternos tradicionais.

Entretanto, permaneceu fiel às suas teorias e posteriormente se tornou um cavaleiro muito premiado no estilo *western*. Hollywood contratou-o como ator para montar os cavalos em filmes e como dublê para estrelas como Elizabeth Taylor em *A mocidade é assim mesmo* (*National Velvet*, 1944), e vários outros filmes. Também trabalhou com James Dean durante a pré-produção e as filmagens do aclamado filme *Vidas Amargas* (*East of Eden*, 1955).

Roberts sabia que seu futuro estava no trabalho com cavalos e iniciou uma carreira incrível com puros-sangues de corrida. Ao longo dos anos, trabalhou com diversos campeões (incluindo o famoso Alleged) e abriu o centro de treinamento Flag is Up Farms em seu rancho de 154 acres no vale de Santa Ynes, em 1966.

Sua esposa Pat e ele viveram um imenso sucesso, tornando-se os treinadores consignados de puros-sangues de maior destaque durante dezoito anos na categoria Potros de 2 anos, da pista de corridas de Hollywood Park. Até hoje as paredes dos escritórios de Monty e Pat estão cobertas com desenhos, quadros, recortes de jornais e outras recordações de seus anos nas pistas de corrida.

Além disso, juntos criaram três filhos biológicos, e, ao longo dos anos, receberam também 47 crianças que ajudaram a educar. Várias delas ainda frequentam a Flag is Up Farms e creditam a Pat e Monty a tarefa de terem ajudado a mudar o rumo de suas vidas.

Atualmente Pat e sua filha Debbie (com o marido Tom Loucks) dirigem a iniciativa multidisciplinar e internacional dos negócios da família Roberts dos escritórios da Flag is Up Farms.

Nos anos 1980, os Roberts e seus familiares próximos viviam felizes em seu rancho, colecionando os frutos de seu trabalho com os cavalos de corrida. Foi quando um telefonema mudou novamente a vida de Monty. Ele vinha do escritório da rainha Elizabeth II, grande amante de cavalos. Ela ouvira a respeito de seu trabalho e convidou-o para ir ao país a fim de mostrar à sua equipe o método do *Join Up*. A rainha ficou tão impressionada com sua demonstração que pediu que Monty escrevesse um livro urgentemente.

O livro, então, foi escrito. *O homem que ouve cavalos*, publicado em 1996, tornou-se um best seller imediato, tendo vendido cerca de 6 milhões de cópias. Rapidamente, Monty e seus métodos de treinamento se espalharam. As linhas telefônicas ficavam congestionadas no rancho, e os veículos de mídia clamavam por entrevistas; porém, mais importante do que tudo isso, centenas de milhares de amantes de cavalos ouviram o alento de que havia uma alternativa para o treinamento desses animais.

A TV aberta americana e o canal BBC de Londres veicularam documentários sobre seu trabalho; quatro outros livros de Monty também se tornaram best sellers, e países ao redor do mundo traduziram seus textos, espalhando a mensagem de que *violência nunca era a resposta*.

*

Ao longo dos anos, Monty tem viajado pelos Estados Unidos e arrecadou mais de 1,6 milhão de dólares para iniciativas sem fins lucrativos com cavalos, incluindo vários centros de equoterapia.

Atualmente, Monty continua demonstrando suas técnicas de *Join Up* ao redor do mundo. Seu quarto livro, *From My Hands to Yours: Lessons from a Lifetime of Training Champion Horses*, traz os princípios do *Join Up* no formato de livro-texto.

Seu centro de treinamento, Monty Roberts International Learning Center (MRILC), localizado no rancho Flag is Up, treina mais de 140 alunos por ano com os métodos não violentos de Monty. O MRILC é gerido pela organização sem fins lucrativos *Join Up* International Inc., que foi criada para garantir que os princípios do *Join Up* se perpetuem por muitas gerações.

Monty nunca se esquece das lições que aprendeu com os cavalos. Em seu quinto livro, conta histórias dos animais mais amados, escolhidos dentre as dezenas de milhares com os quais trabalhou em toda sua vida. *The Horses in My Life* é uma homenagem aos cavalos com quem mais Monty aprendeu e também àqueles que mais o impressionaram e por isso ficaram gravados para sempre em seu coração.

Monty segue sendo condecorado por seu trabalho dedicado aos cavalos e pela divulgação da filosofia de não violência ao redor do mundo. Foi recentemente condecorado pelos serviços prestados à família real inglesa, recebendo a nobre honraria diretamente das mãos da rainha Elizabeth. A Associação da Califórnia da Força Aérea também o condecorou pelos serviços prestados aos veteranos de guerra americanos.

Entrevista com Monty Roberts

EDUARDO MOREIRA: Monty, é uma honra poder realizar esta entrevista, que, acredito, será ainda assistida e estudada daqui a 50 ou 100 anos. Isto é certamente um arquivo histórico que deve ser guardado, pois você é um homem que mudou não somente a comunicação entre homens e animais, mas também a relação entre ambos. Esta não é uma entrevista como aquelas que usualmente são realizadas a respeito de sua vida. A ideia é fugir das perguntas usuais que as pessoas costumam fazer. Isso pode tornar esta conversa algo mais interessante e desafiador. Vamos abordar alguns tópicos como comportamento animal, comportamento humano e vida sob um aspecto mais amplo.

MONTY ROBERTS: Ok, Eduardo, estou à sua disposição...

EM: Vamos começar falando um pouco sobre comportamento animal, que certamente é o assunto que fez você tornar-se conhecido por todo o mundo e também pela rainha da Grã-Bretanha. Visitei o site da *Amazon* para comprar um livro sobre comportamento animal e fiquei surpreso ao ver que o primeiro livro que se recomenda sobre esse tema é *O homem que ouve cavalos*, escrito por você, o que certamente deve deixá-lo muito orgulhoso. Por outro lado, quando assisto aos programas de televisão sobre animais, com indivíduos que supostamente deveriam ser grandes conhecedores do mundo animal, o que vejo são pessoas que agarram os animais à força, o que certamente exige muita coragem.

MR: Pois é. Eu também noto essa violência.

EM: É impossível não notar animais estressados, com medo, assustados. Até que, depois de um bom tempo lutando, o animal desiste e se entrega ao apresentador do programa para ser acariciado e mostrado às câmeras com uma atitude aparentemente calma. Você não faz isso com seus cavalos. Você não os pega; eles, na verdade, vão atrás de você. Afinal, você acredita que é possível ser aceito pelos animais e estabelecer uma relação de parceria? (E quando digo animais não me restrinjo a cavalos, me refiro aos animais em geral.)

MR: Antes de responder, quero repetir que é uma alegria estar aqui com você, principalmente num momento em que seu país tem desenvolvido atitudes fantásticas em relação à maneira como os animais são tratados. Eu respeito a forma como alguns humanos tratam os animais, forçando-os a fazer aquilo que queremos que eles façam. Há esses programas de televisão que se justificam se as pessoas desejam assistir a eles e ver os apresentadores agarrarem os animais, forçar e desafiar "monstros dos rios", gigantes selvagens, e outros animais perigosos.

Mas isso não precisa ser feito necessariamente dessa forma. Acredito que podemos (na verdade, acho que Deus nos criou desta maneira) formar um mosaico em cooperação com os animais, em que todos têm seu espaço e vivem de forma harmônica, em vez de viver de modo competitivo, ou num mundo de força e dominância. Acredito que não devemos dominar os animais de forma alguma.

Fico feliz em saber que você tem um espaço na mídia brasileira e mostra como é possível se aproximar dos animais de uma forma diferente e aprender sua linguagem. Para mim, essa experiência também não se restringe somente aos cavalos. Veja, por exemplo, os veados e as corças, com os quais já venho trabalhando há mais de trinta anos. É um orgulho enorme vê-los se aproximar, ficar ao meu lado como ficam, amistosos, sem temer minha presença de forma alguma.

Eles vêm de todos os cantos; hoje pela manhã cerca de trinta vieram ao meu encontro. Há também os cães, os gatos, os esquilos e, é claro, os cavalos. Os cavalos são minha vida, não há dúvida quanto a isso. Devemos aprender a linguagem dos cavalos, fazer com que queiram executar as tarefas em vez de realizar aquilo que queremos, e acho que isso se encaixa naquilo que você falou.

Em: Ótimo. Mas, por outro lado, ao mesmo tempo que a maior parte dos programas faz esse tipo de abordagem, nós já temos alguns programas como, por exemplo, *O encantador de cães*, apresentado por Cesar Millan, em que claramente existe uma preocupação em entender a linguagem dos animais. Em seu programa, Cesar constantemente cita a vida dos lobos, como eles interagem com suas matilhas e como a evolução influenciou a comunicação dos cães. Você acredita que estamos observando uma tendência, iniciada por você há vários anos, em que as pessoas começam a entrar no mundo dos animais utilizando sua comunicação em vez de usar a nossa lógica e a nossa forma de se comunicar?

MR: Sim. Não há dúvida de que realmente estamos vivendo uma mudança. Acredito que meu livro, meu trabalho e minhas viagens ao redor do mundo com minhas demonstrações causaram isso. As pessoas têm sentido essas mudanças. Citarei o exemplo de Jane Fennel, na Inglaterra, que escreveu o livro *The Dog Listener*, após ler meu livro. Isso aconteceu depois que ela assistiu a uma de minhas apresentações. O próprio Cesar Millan já me foi apresentado, e chegamos a trabalhar juntos. Torço para que realmente exista uma tendência em curso, a partir da qual estejamos mais atentos à vida desses animais, à forma como se comunicam. Em vez de invadirmos suas vidas, impondo-nos como homens e eles, cães, cavalos, eu gostaria de ver uma interação maior, em que todos façamos parte do mosaico sobre o qual já falamos. Acho que esse esforço daria uma linda fotografia em que posaremos juntos.

EM: Falando em lutas, como você acaba de mencionar, quais são as principais diferenças entre os animais lutadores e os fugidores?

MR: A diferença entre animais lutadores e fugidores é que os animais fugidores não desejam violência em sua vida. Cavalos não querem violência em suas vidas. Eles não querem o confronto. Já os animais lutadores alimentam-se da carne de outros animais. Você tem então os carnívoros, que são animais lutadores, e os herbívoros, que são geralmente fugidores. O problema disso tudo, Eduardo, são os onívoros.

Onívoros são aqueles que se alimentam de carnes e também de vegetais e plantas. Isso significa que os onívoros podem ser os predadores, mas também podem ser as presas, cabe a eles decidir. Se você é um predador e come carne, isso não significa que deve ser cruel com os animais. As pessoas costumam olhar para mim e imaginar que sou uma pessoa tolerante, sem disciplina, mas na verdade existe muita disciplina naquilo que faço. E não sou uma pessoa tão tolerante assim. Presto muito atenção aos detalhes, sou muito perfeccionista e acho que disciplina é algo crítico, fundamental nesses instrumentos de comunicação que usamos. Amo o fato de estar aprendendo a viver usando esse sistema de comunicação entre os animais, mas devemos sempre lembrar que até os animais fugidores têm disciplina em sua vida. Cavalos têm disciplina em sua vida, a girafa tem disciplina em sua vida, até mesmo os veados e as corças. Eu acho que o mundo está caminhando para a direção certa no que diz respeito aos animais. Gostaria de ver um pouco mais de carinho e cuidado entre os homens. Há um problema a ser superado: a violência que um ser humano comete contra outro.

EM: Onde o conceito do *Join Up* entra nesta história, e como ele pode ser adaptado aos animais lutadores e fugidores?

MR: O sistema do *Join Up* que descobri na natureza consiste em colocar duas espécies juntas, sem violência, para que se comuniquem, de modo a gerar uma relação de parceria para determinado objetivo, para fazerem algo juntas. No caso dos cavalos, une-se o homem, um onívoro e predador, ao cavalo, sem violência, mas com um propósito. Ao montar no cavalo, estabelece-se uma relação de parceria. Vai-se a lugares com o cavalo, fazem-se coisas juntos, sempre com a atitude de perguntar: "Que tal isto? Você deseja fazê-lo, conseguimos fazer juntos?" Os cavalos devem querer fazer algo por vontade própria, assim realizam um trabalho muito melhor. Se estiverem sendo forçados a executar as tarefas, certamente não farão um trabalho tão bom. Logo, cavalos e medo não resultam em uma boa parceria. Podemos, inclusive, ter animais predadores que conseguem viver juntos em uma relação de parceria. Humanos com humanos, por exemplo. Cachorros com humanos certamente são um caso de predadores com predadores. E não precisamos usar a violência, dominar uns aos outros para vivermos juntos. Cesar Millan nos mostra isso muito bem; ele é um disciplinador, mas não usa violência ou brutalidade.

EM: Nesta hora, o PIC-NIC deve ser utilizado, certo?

MR: Sim, o PIC-NIC (*Positive Immediate Consequence, Negative Immediate Consequence*) deve ser usado. Ele deveria guiar tudo o que fazemos em nossas vidas, nossas relações. Uma consequência negativa nunca deve ser a violência. Lembre-se de que palavras podem machucar tanto quanto chicotes. Ofender e humilhar os outros também não funciona, afinal de contas, isso também é violência. É importante dizer que as consequências positivas também devem ser apropriadas. Por exemplo, nunca alimente seu cavalo direto de sua mão; o animal fugidor nunca deve ser alimentado por meio de uma parte do corpo humano. Ele pode morder as pessoas se uma parte do corpo estiver de alguma forma associada à sua alimentação.

EM: Então, achar as consequências positivas e negativas que melhor se encaixam no conceito é algo essencial para que este funcione?

MR: Sem dúvida.

EM: Falando um pouco sobre comportamento humano: nós gostamos de nos ver como seres completamente diferentes dos animais, em um patamar de evolução absolutamente superior. Isso engloba a forma como vemos o mundo, nossas habilidades e outros fatores. Só que, quanto mais convivo com os animais e passo a entender como reagem e convivem entre si, mais vejo que costumamos agir da mesma forma entre nós mesmos. Quão animais, ou mesmo homens da caverna, você acha que ainda somos em nossas vidas?

MR: Nós ainda somos homens da caverna. Ainda temos dentro de nós o instinto que nos foi dado pela natureza. Deveríamos analisar e entender esses instintos, apesar de achar que não os temos, por nos considerarmos muito mais sofisticados e inteligentes que os animais. De fato, somos mais inteligentes de várias formas, pois o ser humano tem um cérebro muito complexo, com vários setores, que nos permite pensar sobre várias coisas diferentes e sonhar com o futuro. Animais fugidores não podem sonhar com o futuro, eles apenas vivem o presente. Mas não pense que não são inteligentes. E não pense que somos mais inteligentes do que eles em todos os sentidos. Costumo dizer que, se você pegar um cientista brilhante, colocá-lo junto aos mustangues selvagens num ambiente também selvagem e voltar em três semanas para ver quem está melhor, aposto que os mustangues estarão muito melhor. Isso não significa que o cientista é estúpido, e sim que ele não foi preparado para pensar do mesmo modo que os cavalos — de forma restrita. Cavalos têm apenas dois objetivos na vida, reproduzir e sobreviver. E são muito bons nesses dois aspectos, até porque não têm outras questões com o que se preocupar, essas são suas únicas metas. E nós, seres humanos, ocupamos nossas mentes com muitas coisas. Mas, lembre-se, quando se trata de sobrevivência e reprodução da espécie, eles são mais inteligentes do que nós.

EM: Você acha que somos animais lutadores ou fugidores?

MR: O interessante sobre isso, Eduardo, é que podemos ser tanto lutadores quanto fugidores. Podemos escolher Eu certamente era um animal lutador nos primeiros anos de minha vida, queria lutar com o meu pai de uma forma tão intensa que você nem imagina. E lutei. Queria jogar futebol americano para derrubar todo mundo, machucar as pessoas. Quando jovem, eu era muito violento, porque essa atitude foi impressa em mim quando criança. Mantive esse comportamento até uns 12, 13 anos de idade, quando minha professora do oitavo ano começou a estimular mudanças em mim e eu decidi tirar a violência da minha vida, tornar-me uma pessoa não violenta. Eu ainda mantenho o hábito de consumir carne, mas não quero ser violento com nenhum cavalo na minha vida. Nunca machuquei, chicoteei ou bati em nenhum cavalo depois de minha adolescência. Mas, na infância, eu os maltratava porque meu pai me forçava a agir assim. Durante os primeiros anos de minha adolescência, tive atitudes com os cavalos que não eram corretas. Meu pai cometeu atrocidades contra eles e contra mim. Portanto, acredito que ser um animal lutador ou fugidor é uma escolha.

EM: Eu vejo também que ambientes hostis e competitivos como, por exemplo, esportes e ambientes corporativos, trazem à tona esses instintos animais do homem. Você acha que o ambiente influencia muito?

MR: Sem dúvida. Tive de trabalhar com pessoas que sofriam do transtorno de estresse pós-traumático, que ocorre, por exemplo, com veteranos de guerra. É terrível. Nós treinamos esses jovens para ir à guerra, tornar-se soldados em nossos exércitos, ser matadores, violentos, depois trazemos de volta e pedimos que sejam calmos e bondosos, tenham uma família e vivam de forma adequada. Não podemos fazer isso, sua mente fica confusa por causa da violência que presenciaram. Sim, podemos ser treinados para a violência, não há dúvida. Mas também podemos tirar a violência de nossas vidas e viver sob um novo paradigma. E o que faço com os cavalos mostra que a melhor maneira de ganhar a confiança de alguém é mostrar que existe uma alternativa que não envolva violência e seja baseada na confiança, na parceria e no respeito.

EM: Você me falou uma vez sobre os dois únicos presentes que alguém pode verdadeiramente oferecer na vida. Fale-me um pouco sobre isso, por favor, achei muito interessante seu ponto de vista.

MR: Acredito que uma pessoa possa dar apenas dois presentes na vida. Seja para seus cavalos, cachorros, gatos, sua família, seus amigos ou para si mesmo. São apenas dois presentes. O primeiro deles é o seu tempo. Você deve dar o seu tempo. Eu não tenho a menor esperança de ter minha missão — transformar o mundo em um lugar melhor do que aquele que encontrei, para as pessoas e para os cavalos — concluída na vida a não ser que eu doe meu tempo para essa causa. Mas estou disposto a doar o meu tempo para isso, e é muito prazeroso. Se não fosse, eu não estaria fazendo. Esse é o primeiro presente. O outro presente que você pode dar — esse a si mesmo — é a saúde. Ter saúde é a única forma de doar seu tempo. Sem saúde ninguém é capaz de fazê-lo.

Tomei uma decisão há cerca de oito anos, após um diagnóstico sobre minha saúde que não me dava muito tempo de vida. Descobri que sofria de diabetes do tipo 2. Quando decidi que cuidaria de minha saúde, tornei-me capaz de doar o meu tempo, e acho que eu nunca teria alcançado vários de meus objetivos se não tivesse vivido esse tempo extra na minha vida. Vamos ver quanto tempo eu ainda tenho, sei que ainda estou aqui, disposto a me doar aos meus objetivos, pois faço o que amo. E, quando você faz o que ama, não precisa trabalhar mais um dia sequer, porque não é mais trabalho.

EM: Você viaja o mundo, leva uma mensagem linda, toca o coração das pessoas, que se emocionam com o que ouvem, e então tem que deixá-las e voltar a outro lugar, outro país. Como é entrar tão profundamente na vida das pessoas sem se apegar a elas, e poder continuar sua caminhada por tantos lugares diferentes?

MR: Na vida, existem algumas coisas que são fáceis de realizar e outras que são difíceis, e você deve aprender como fazer o melhor em ambas as situações. Ontem, por exemplo, foi um dia muito difícil para mim, pois foi o último dia de aulas do curso especial que ministro todos os anos. Havia 40 alunos nesse curso, e cheguei disposto a me tornar amigo de todos. Odiei vê-los partir, não queria que o curso acabasse, queria que continuássemos para sempre juntos. Mas preciso dar o próximo passo. Tenho várias coisas fantásticas por vir com outras pessoas, outros grupos, e devo seguir para essa próxima etapa. Se minha missão é realmente global, não tenho tempo para descansar nem o privilégio de estar com as mesmas pessoas a todo instante. Preciso seguir e me relacionar com outras pessoas, ampliar a base.

EM: Algo que acho muito interessante, e que exploro no livro *Encantadores de vidas*, é que você, o Nuno Cobra, a freira que me inspirou enormemente na vida e meu avô — que foi uma pessoa muito importante e dirigiu uma das principais universidades do país — tinham mais de 70 anos. E essa é uma idade que muitos jovens hoje em dia olham e imaginam "ele não sabe o que é um *iPod*", "ele não tem ideia das músicas que estão na moda", "ele não sabe o que estou falando". Apesar disso, acho que aprendi mais com vocês nos últimos dois anos do que nos 33 anos anteriores da minha vida. Como você acha que o conhecimento é adquirido com o tempo e como você acredita que as pessoas com mais de 70 anos podem redescobrir suas vidas e ter orgulho, em vez de ter vergonha de sua idade e de seu conhecimento?

MR: Acho que essa é uma pergunta extremamente importante porque toca profundamente minha alma. Olhando para trás agora (e acho que hoje sou capaz de um retrospecto para fazer esta análise), e vendo como eu era antes de completar 70 anos e como sou agora após tê-los completado — afinal já tenho 76 —, percebo que é impossível adquirir conhecimento sem o passar do tempo.

Existem muitos jovens extremamente talentosos, e eu não sou contra jovens talentosos, mas eles não atingiram seu potencial máximo, não alcançaram sua capacidade mais ampla de conhecimento, isto é certo. Nos primeiros anos da vida — e é curioso como a natureza funciona dessa forma —, podemos fazer algumas coisas incríveis, mas não temos ainda toda a bagagem de conhecimento que só seremos capazes de experimentar mais tarde na vida. Eu tenho saúde. Sem ela, certamente não teria chegado até aqui. Também as intenções, os desejos, as tentações de fazer algo quando você é jovem são muito mais difusos. Você quer ir aqui, você quer ir ali, você quer fazer isso, fazer aquilo. E, depois dos 70 anos, muitas dessas tentações, desses desejos, se transformam apenas em cenário, e você passa a querer fazer *o bem*, levar informação a outras pessoas.

E, se você escolhe fazer do mundo um lugar melhor, é capaz de fazer, sim; enquanto se é jovem é muito mais difícil, por causa das tentações, do desejo de ganhar dinheiro, de ser bem-sucedido na vida, de ganhar os campeonatos, de montar um grande negócio. Hoje, não vou construir um grande projeto, não quero um grande negócio. Depois de tornar meu empreendimento uma instituição sem fins lucrativos, uma fundação, sou uma pessoa mais feliz.

Acordo hoje pensando em como posso ajudar alguém, ou no que posso fazer para levar conceitos mais longe e para mais pessoas. É um sentimento muito significativo que tenho sobre a importância de envelhecer. É fundamental adquirir tal conhecimento, guardá-lo e, então, transmiti-lo aos outros. Essa é a magia da vida, passar aos outros aquilo que aprendemos.

EM: E uma última pergunta. Ela é pessoal. Você sabe que o tenho como meu mestre, um verdadeiro herói, um guia. Os princípios defendidos e praticados por você são aqueles que norteiam minha vida. Cheguei aqui há alguns anos e nossa amizade começou a ser construída, e hoje o considero meu segundo pai, você sabe disso. Desde que cheguei aqui, quais você acha que foram meus principais erros e acertos? E o que você gostaria que eu fizesse daqui para a frente?

MR: Oh, meu Deus. Isso é tão fácil de responder, mas tão difícil de compreender... Porque o maior desafio que você tinha era o fato de querer muito aprender e fazer as coisas que via aqui. Ao mesmo tempo, a maior virtude que tinha, a coisa mais positiva, era a mesma: queria muito aprender e realizar tudo o que presenciava aqui. Então este foi, ao mesmo tempo, seu ponto fraco e forte: *querer muito* E você foi atrás do seu sonho — correu como um doido atrás dele. Você se expôs ao perigo, aos riscos, e por sorte não se machucou.

Eu nunca aconselharia meus alunos a tentar as coisas que você tentou tão rapidamente, tão cedo no seu aprendizado dos meus princípios. Mas, agora que você conseguiu enfrentar todos esses riscos, é fantástico que o tenha feito de forma tão rápida, porque aprendeu tanta coisa num período tão curto... Muitas vezes nossos pontos fortes e fracos são os mesmos. Desde que consigamos lidar com eles de modo seguro e correto, isso não é problema. Porém, eu gostaria que você diminuísse um pouco o ritmo. Eu presto atenção na maneira como age e já estou observando esta mudança. Você deve observar o que está acontecendo quando faz as coisas, precisa ter consciência do que está ocorrendo. Quando eu o vejo com as corças, com os veados... nunca vi alguém que conseguisse chegar tão perto deles como você consegue. Eu o ouvia esta manhã quando falou: "Quando meus dedos da mão estão dobrados e relaxados, posso perceber todos os músculos do meu braço e meu ombro relaxando também. Sinto o efeito desse gesto até a região de minha orelha. Quando minha mão está totalmente aberta, isso tenciona todos os músculos, até o meu pescoço." As corças sabem disso. Os cavalos também. Eles sabem quando você relaxa os dedos, isso é relaxamento, e então seu nível de adrenalina cai. Coisas incríveis acontecem, e você continua aprendendo. Acho que agora está colocando juntos seu desejo e uma atitude e uma postura relaxadas ao mesmo tempo. E esta é a chave para o sucesso, na minha opinião.

EM: Obrigado pela entrevista. E se você tiver mais alguma mensagem sobre estes tópicos que queira deixar não só para brasileiros, mas para todo o mundo, eu gostaria que a deixasse agora. Sei que esta é uma entrevista histórica — porque realmente acho que vivemos aqui um momento histórico, já que conversamos sobre assuntos de que usualmente não trata em suas entrevistas.

MR: Suponho que depois desta entrevista minha mensagem seja: respeitem os animais com os quais interagimos em nossa vida. Não pensem neles como criaturas estúpidas. Eles são criaturas inteligentes. Respeitem os animais e respeitem a si próprios. Cuidem de sua saúde. Espero que mais pessoas adotem meu objetivo de vida, que é tornar o mundo um lugar melhor do que encontrei para os cavalos e para as pessoas também. Acredito que ninguém tem o direito de dizer "Você tem que fazer isto, senão eu vou machucá-lo" a nenhuma outra criatura — seja ela um animal seja outro ser humano. Acho que esta será a certeza com a qual vou trabalhar até o final dos meus dias. Estou muito feliz com o que acontece no mundo agora no sentido de estar finalmente mudando — apesar de isso estar ocorrendo lentamente — para um lugar melhor para os animais. Isso me deixa muito feliz.

Um certo Nuno Cobra

O professor NUNO COBRA RIBEIRO é pós-graduado em Educação Física pela USP e respeitado mundialmente por suas realizações ao longo de mais de 50 anos de trabalho, pioneirismo e sucesso. Nascido em 1938, em São José do Rio Pardo, Cobra exerce a atividade profissional de treinamento personalizado de atletas desde 1952, trabalho que décadas mais tarde passou a ser chamado de *personal training*.

As bases de seu revolucionário método foram criadas por meio do exercício de seu próprio autoconhecimento e do desenvolvimento pessoal realizado em sua adolescência. Entusiasmado com a evolução pessoal e com os resultados que conseguia com seus alunos na aplicação do que ainda seria o esboço de seu método (quando buscava desenvolver a pessoa como um todo a partir da evolução do corpo), Nuno matriculou-se no curso de Educação Física. Daí em diante, estudou fisiologia, sociologia, filosofia e psicologia, no Brasil e no exterior, em uma peregrinação que durou décadas em busca das respostas sobre o pleno funcionamento do ser humano.

Seus conceitos, quando surgiram, contrariavam tudo aquilo que pregava a teoria clássica científica, já que, em vez de estudar o organismo humano de forma segmentada, sob uma ótica de órgãos e departamentos independentes, oferecia uma visão interdependente de todas as partes que formam o homem. Sua visão, polêmica para a época (e até hoje controversa para muitos), o colocou à margem da comunidade acadêmica e científica durante muitos anos.

Não poucas vezes foi tachado de louco ou interpretado de forma depreciativa. Os excelentes resultados dos atletas que Nuno treinava, porém, deram força para que suas ideias voltassem com todo vigor ao longo da década de 1990. Seu método acabou revolucionando o treinamento esportivo não só no Brasil mas em vários lugares ao redor do mundo.

Além disso, ao longo das últimas décadas, Nuno Cobra realizou trabalhos com menores abandonados, excepcionais carentes e jovens infratores. E foi preparador físico de atletas famosos, entre os quais Ayrton Senna (por mais de dez anos), Mika Hakkinen, Rubens Barrichello, Gil de Ferran, Christian Fittipaldi, Jaime Oncins, Cássio Mota, e de executivos e empresários de destaque no universo corporativo como Abílio Diniz, Sérgio e Paulo Machline, Roberto Justus, André Lara Rezende, Amilcare Dallevo e Lair Martins.

Cobra foi um dos primeiros a tratar de conceitos que a psicologia moderna coloca no centro dos seus estudos, como a inteligência emocional. É autor do livro *A semente da vitória*, que, desde seu lançamento, está entre os dez mais vendidos no Brasil, conforme pesquisa da Revista *Veja*, e já atingiu a marca de 450 mil exemplares vendidos. Vem aplicando seu método em grandes empresas, com excelentes resultados, potencializando a saúde de seus funcionários para obter um melhor desempenho pessoal, familiar e profissional, nos cursos MBA-RH da USP, e tem viajado o país como palestrante e conferencista.

O método de Nuno Cobra busca desenvolver as habilidades mentais, emocionais e espirituais através do corpo, numa visão do homem como um todo: integração corpo-mente-emoção-espírito. Com seu trabalho, o professor busca despertar a consciência da importância de desenvolver uma nova percepção de vida, esclarecendo como as descobertas do corpo e do prazer de viver são a mola propulsora para novas conquistas. Em suas palestras, procura elucidar seu método e sua filosofia, abordando tópicos como:

1. A importância do sono e da alimentação adequados para o equilíbrio, a vitalidade, a motivação, o desempenho e a satisfação.
2. A conquista de uma vida melhor: um bom trabalho de saúde pode ser iniciado a qualquer tempo, em qualquer idade.
3. Saúde não é apenas a ausência de doenças: saúde é um estado de equilíbrio físico, mental, emocional e

espiritual, no qual a alegria, a vitalidade e a serenidade se fazem cada vez mais presentes.
4. Movimento do corpo: com a extrema competitividade do mundo moderno e o ritmo cada vez mais acelerado do dia a dia, as pessoas têm se esquecido da importância dos cuidados básicos com o corpo. Trata-se de um alerta para o movimento, uma necessidade vital do nosso organismo.
5. Mecanismos do estresse: explica seu mecanismo e a importância de sua administração, impedindo que se transforme em nosso maior inimigo, como presenciamos no mundo atualmente.
6. Equilíbrio: mostra que a falta de atividade física sistemática acaba tendo terríveis consequências para o equilíbrio mental e emocional, tornando as pessoas ansiosas e minando a vitalidade, o otimismo e a autoestima.

Como se vê, seu trabalho nada mais é do que um consciente despertar para novas atitudes que leva o ser humano a conquistar uma vida melhor.

Entrevista com Nuno Cobra

EDUARDO MOREIRA: Nuno, primeiramente obrigado por conceder esta entrevista. Você e Monty são meus ídolos, meus heróis, e para mim é muito especial estar aqui fazendo esta entrevista em que posso registrar suas respostas como um arquivo histórico de dois gênios do nosso tempo. O que mais me impressionou no seu método foi descobrir que treinar podia ser gostoso, e que, mesmo estando em zona de conforto, eu conseguia aprimorar meu preparo físico num ritmo que nunca havia conseguido até então. Como isso foi possível?

NUNO COBRA: Não é que isso seja apenas possível. É a forma correta. O impossível é você melhorar o seu organismo fora da faixa de otimização — que é justamente aquilo que caracteriza a pessoa em determinado momento —, porque cada um de nós é único. Fazendo-se um exame, verifica-se como está a sua "máquina" e, de acordo com suas possibilidades naquele momento, monta-se um programa especificamente para você. Se você, ou qualquer pessoa, prepara um programa no qual faz força, está errado. É justamente por estar na zona de conforto, na faixa de otimização — que é onde existe o equilíbrio de oxigênio — que se obtém sucesso, que se adquire a eficiência cardiovascular e, com isso, os bons resultados.

EM: "Condicionar o corpo e chegar à mente, preparar a mente e alcançar o espírito." Até onde alguém que segue seus princípios é capaz de chegar?

NC: Acredito que, a princípio, o homem pode tudo! O que o cerceia é sua própria cabeça, anulada que foi por uma sociedade extremamente castradora. O natural está em trabalhar o corpo, porque, quando se trabalha o corpo de uma maneira inteligente, de modo funcional, ordens são dadas para centenas de músculos. É essa exigência que faz com que a mente humana tenha de trabalhar tantos músculos em diferentes tipos de contrações. Por exemplo, a isométrica, isotônica e isocinética; ou trabalhar com músculos agônicos, antagônicos; ou ainda trabalhar com sinergia entre músculos, com músculos diferentes, como, por exemplo, quadríceps e glúteos na corrida, ou bíceps e tríceps na barra; isso tudo na medida exata e necessária para aquele trabalho. É isso que vai fazer com que o cérebro crie novas conexões interneurais e se desenvolva. Com o aperfeiçoamento natural do seu cérebro, criando novas possibilidades, a pessoa passa a se encantar com ela mesma, porque aumenta o seu nível de saúde, ou seja, eleva a saúde para patamares superiores. E, quando esse patamar que é de 0 a 10 — e no homem moderno está entre 1,5 e 2, por isso ele tem que tomar vacina para gripe — chega ao algarismo 6, a pessoa fica feliz.

EM: Por quê? Afinal, o que é a felicidade?

NC: A felicidade não é nada que se compre, não é nada que se obtenha; a felicidade é um estado de espírito. Então, quando se consegue atingir, pela própria elaboração de hormônios, esse estado magnífico, grandioso, de totalidade, aí sentimos essa felicidade. Felicidade não se explica, ela ocorre, acontece. E, quando a pessoa se encanta consigo, ela começa a se encantar com a obra do Criador — que é a união entre nós e essa maravilhosa natureza que o homem moderno não entende porque é imediatista, materialista e mercantilista. Nesse momento, a pessoa se desprende deste mundo e entra no mundo espiritual. Chegar ao cérebro por meio dos músculos e alcançar o espírito por meio do corpo para elevar seu espírito não é algo por que se trabalha: é algo que ocorre de forma natural com meu método.

EM: Antes de treinar com você, fui alertado de que seria impossível me submeter a seu treinamento, porque você me obrigaria a ruminar os alimentos, comer apenas legumes e verduras, meditar durante uma hora debaixo de uma árvore todos os dias etc. No entanto, você nunca me obrigou a nada. Pelo contrário, sempre me incentivou a fazer aquilo que me deixava feliz. Por que as pessoas têm essa imagem a seu respeito?

NC: Na verdade, poucos realmente me conhecem. Fui considerado louco durante muitas décadas pela minha maneira de ver o corpo atuando na mente e no espírito. Coisas que pareciam muito estranhas nas décadas de 1950, 1960 e 1970 surpreendentemente continuaram a ser estranhas nas décadas de 1980, 1990 e 2000. Hoje, porém, a neurociência, quando afirma que "ao caminhar estamos fabricando novos neurônios", comprova o que eu dizia. Ocorre também que as pessoas não sabem dizer muito bem o que o Nuno Cobra faz. Eles acham que faço essa malhação estúpida, que coloco as pessoas para correr como loucas, e, além disso, exijo toda a parte mental, como a meditação... Claro que isso vem em decorrência do treino, mas é sempre subindo pequenos degraus para novos patamares; essa subida é que faz a pessoa parar e se dar conta do que ela conseguiu. Você, por exemplo; é quase "assustante" — se é que existe esse adjetivo — que, em três meses, tenha mudado completamente o seu corpo, a sua mente e o seu espírito. Você se tornou uma pessoa melhor de uma maneira deslumbrante, num espaço de tempo muito curto.

O que leva as pessoas a acharem essas coisas a meu respeito talvez seja a imagem do Ayrton Senna, que me marcou muito. Para fazer uma pessoa como o Ayrton

— partindo daquele rapaz tímido, que não falava, não se relacionava, inibido, magrinho, "franzino Ayrton Senna" que aparecia nos jornais — virar o monstro eloquente que impressionou o mundo de forma inesquecível, as pessoas acham que foram necessárias coisas malucas. Mas o trabalho do método, pelo contrário, é fácil e simples. Porque o que funciona é simples e fácil, pois se instala dentro da natureza e das possibilidades. Você faz hoje aquilo que pode fazer hoje, e não aquilo que *não* pode fazer hoje — portanto, sempre é leve. Não existe esse processo de ficar se matando, se arrebentando; muito pelo contrário, é totalmente agradável e gostoso porque está na natureza de cada pessoa.

EM: O brasileiro tem fama de não ter preparo emocional no esporte, e não raras são as vezes em que vemos nossos atletas sucumbindo à pressão de uma etapa final de competição. Essa fama procede? E o que você acha que leva a esse suposto despreparo?

NC: Primeiro, o brasileiro é essa pessoa eloquente, envolvente; é a soma de todas as raças que colocaram nesse pote, na panela de fusão, que resultou em gente especialíssima, que tem uma criatividade maravilhosa. O que os invalida são os indivíduos que treinam esses atletas. Porque eles não os deixam à vontade. Por exemplo, tivemos uma competição de futebol há pouco tempo, na qual o Brasil perdeu de maneira absurda, pois tinha um elenco que dava de dez a zero em todos os outros. Se você somasse as seleções de todos os outros países que estavam na competição, o Brasil era a melhor. Os brasileiros só precisavam ir lá e fazer aquilo que sabem fazer muito bem. Mas, quando um técnico *exige* que eles ganhem, passa a criar uma enorme carga de responsabilidade. Como o brasileiro é emocional, essa emoção pode levá-lo à exuberância — como a que tínhamos no passado, na época de Pelé, Coutinho, Garrincha e tantos outros, e um técnico que os deixava jogar —, mas pode também ter efeito contrário. Penso que o técnico numa Copa do Mundo de futebol tem pouca função num time. É muito mais importante um preparador, um motivador que trabalhe com esses atletas, que são verdadeiros artistas, e os deixe leves, soltos. Se estiverem lá, festejando a vida, divertindo-se, aí surge uma goleada como eles são capazes de fazer. Afinal, a conclusão é que não é o brasileiro que é deficiente emocionalmente; deficientes são as pessoas que treinam esses jovens. Apenas isso.

EM: Quais são os principais ingredientes para se fazer um campeão?

NC: Eu sempre disse que o diferencial do nosso querido Ayrton Senna em relação aos outros pilotos eram aquelas cinco letrinhas mágicas "F", "A", "Z", "E", "R". Eu treinei outros pilotos de Fórmula Um, eles não tinham esta capacidade de "F", "A", "Z", "E", "R". Fazer! Essa é a mágica. Porque "saber" de cabeça é não saber nada. O que faz a diferença é o "fazer". Eu dizia: "Ayrton, não dá, você está dormindo às duas da manhã, não vai ser um campeão mundial desse jeito. Você precisa dormir. Vamos começar devagarzinho, dormindo à 1h30, depois à 1h." E ele no começo respondia: "Ah, mas a essa hora?" Afinal de contas, ele tinha 22 anos, e é justamente de madrugada que acontecem as baladas, a paquera — ele estava na plenitude da vida. Mas ele ia lá e dormia. Eu falava: "Ayrton, olha como você está comendo. Você coloca na boca e engole. Estômago não tem dente não; você tem de mastigar, cara." Ele, então, mastigava, como eu pedia.

E o que é o talento? O talento é aquilo que a pessoa se impõe a fazer e faz; repete, repete e faz novamente. Coincidentemente, Ayrton e eu nos cruzamos graças a Odir Cunha, jornalista que o levou ao laboratório da USP, onde eu trabalhava, e começamos nosso trabalho no início dos anos 80. E naquele sincronismo, coube a mim a oportunidade grandiosa de treinar uma pessoa difícil, que era uma verdadeira pedra e que nunca acusava o golpe. Eu falava repetidamente, e ele observava quieto. É difícil treinar alguém assim. Mas eu já havia trabalhado com excepcionais, delinquentes, infratores, presidiários — para mim isso foi fantástico. Meu filho não conseguiu treiná-lo. Ayrton era uma pessoa bem difícil. Porém, isso me deu a chance de me aperfeiçoar. Assim, cresci muito com ele, porque ele tinha a qualidade do "fazer". Tudo o que você pedia ele fazia. Ele corria, por exemplo, 35 quilômetros, acabava a corrida e nem sequer festejava. Porque ele sabia que tinha de ir para casa, alimentar-se muito bem, dormir depois do almoço e ir para cama às 20h30. Aí, no dia seguinte, ele falava: "Faturei!!!" Lembro-me até hoje do gesto dele. Por que ele dizia isso? Porque o treino em si é nada. É uma agressão que você faz a seu corpo. A supercompensação, o lucro, só se obtém no dia do repouso. É quando se consubstancia o resultado do seu empenho, do seu esforço, da sua dedicação. De nada adiantaria se ele corresse e à noite saísse para tomar cerveja, dormisse tarde; ele não chegaria lá. O Ayrton, então, era perfeito no "fazer", e esse "fazer" é que constrói um campeão. E se o campeão continua "fazendo" muito, ele vira um gênio.

EM: O homem ainda carrega muitos instintos animais dentro de si? Se sim, como saber utilizá-los a nosso favor?

NC: A grande identificação do homem é esse seu instinto, essa feérica evolução, caminhando na superfície da Terra há mais de 5 milhões de anos. Nós temos dentro de nós, naturalmente, elementos pródigos, que na hora da ação vêm à tona pela fabricação de hormônios fantásticos — que nos fazem enfrentar qualquer problema e obter resultados maravilhosos, capazes de superar qualquer adversidade. O que é preciso é "acreditar". Esta é a palavra precisa. E é esse nosso instinto, que criou o homem que chegou à Lua, que construiu muita coisa fantástica como essa câmera apontada para mim agora, capaz de filmar uma imagem e capturar sons com tremenda perfeição. E o homem chegou a tudo isso pelo seu instinto de bravura, de luta, de garra, de vontade. Então esse instinto animal é maravilhoso, quando a pessoa sabe controlá-lo e usá-lo. Não fossem nossos instintos, nós seríamos pequenos. Só precisamos saber usá-los, apenas isso.

EM: Você trouxe à tona uma metodologia que contrariava tudo aquilo em que se acreditava. Imagino como deve ter tido dificuldades para enfrentar o senso comum. Qual é o segredo para acreditar naquilo que busca, e ser capaz de enfrentar o mundo se for preciso?

NC: Veja, depois que passei por tudo isso, a minha visão é diferente. Mas às vezes eu paro para pensar e nem acredito em como consegui superar tantas dificuldades. A medicina "separava" o homem em departamentos estanques e incomunicáveis. Eu dizia que o homem era uma coisa só. O século passado foi a ditadura do intelecto. Tudo era intelecto. E eu dizia que o corpo é que melhorava o intelecto... que o caminho era o caminho do corpo. O que me dava força para romper como um trator por cima disso tudo? Era o resultado magnífico, extraordinário dos meus pupilos. Então, enquanto toda a academia, a universidade, a ciência — nas suas várias frentes, desde a psicologia até a sociologia, a medicina — diziam que eu era louco, eu tinha na minha frente *os fatos*.

Chegaram a mim pessoas com síndrome do pânico, com uma depressão que médicos não sabiam como tratar, infartados, diabéticos, hipertensos. Afinal de contas, temos cerca de 5 mil doenças catalogadas — que são todas de mentira, porque a doença mesmo não existe. Se você tirar a doença hereditária e a congênita, que são cerca de 4%, as outras 96% são adquiridas. E, se uma doença é adquirida, ela pode ser "desadquirida". E é o que eu fazia através do método — que consiste no sono reparador, na alimentação adequada, no movimento agradável e sistemático e na coluna básica do método, que é a respiração.

Isso é importante, porque as pessoas não respiram. Elas vivem tomando pequeninas doses de ar seguidamente. É inacreditável. Assim, é necessária a respiração, o relaxamento, o treinamento mental para todos aprenderem que a vida não foi feita para ser levada a sério.

A pessoa precisa aprender que é absolutamente proibido criar pensamentos improdutivos. Todas essas pessoas que vinham a mim se restabeleciam. E o resultado me dava forças para ultrapassar tudo o que surgisse diante de mim. Mas foi difícil. Minha família sofreu muito. Porque não é fácil você ser tachado de louco, principalmente no miolo da vida, quando se é jovem. A pessoa quer reconhecimento, quer retorno. Mas eu consegui me fechar numa "marginal" da sociedade e do academicismo, e lá ficar, nesse trabalho "mineiro", escondido. Tanto é que, como disse, até hoje ninguém sabe direito o que faço. Este seu livro vai divulgar uma coisa extraordinária — mas eu fico no meu cantinho. O resultado é tão incrível que é impossível duvidar do fato. A ciência pode estar errada, mas o fato não erra, porque é fato, porque aconteceu. O cara era inseguro e ganhou segurança. Era frágil e ficou forte. Era medroso e ficou corajoso. Era descontrolado emocionalmente e passou a ter um controle emocional extraordinário. São fatos concretos, matemáticos. E, como o trabalho é mensurável, fica fácil levar as pessoas — e elas se apaixonaram por elas próprias, se entusiasmaram e viram que a força desse resultado é infinita.

EM: Monty Roberts lida com cavalos, você com atletas. Como é possível vocês, que, aliás, são da mesma geração, mas de países diferentes, terem chegado a conclusões tão semelhantes sobre a vida e terem se tornado expoentes mundiais de suas áreas, a partir de métodos que foram considerados por muitos bobagem quando surgiram?

NC: O Monty Roberts é um gênio, porque conseguiu, num estalo, num momento divino, perceber de forma eloquente — e para isso a pessoa tem que ser especial e extraordinária — que o animal tem também sua sensibilidade quase humana, assim como nós temos nosso lado "cavalo". Ele, de forma singular, mágica, desenvolveu o trabalho como "encantador de cavalos". Eu pelo meu caminho, lá de Rio Pardo, pulando da ponte, nadando nas correntezas bravias do rio, descobri o caminho do corpo. E percebi que podia ser um "encantador de pessoas". Podia levá-las a perceber a grandiosidade que Deus deu a cada uma delas. Porque todos têm todas as possibilidades — só que a sociedade muitas vezes tira a capacidade de percebermos a força magnífica que possuímos. Então o método que desenvolvi devolve a eles a possibilidade de saber quem são. Na verdade, Monty e eu não fazemos nada, mas conseguimos resultados fantásticos. Nisso me identifico muito com ele, ele encanta cavalos; e eu, pessoas.

Não sou um ser extraordinário. Apenas me apaixonei pelo ser humano. Amo todas as pessoas. Tenho uma vontade incrível de fazer com que elas percebam a magnificência que possuem, e como Deus as fez poderosas. Quero despertar nelas a imensa força que carregam, da qual não têm consciência. Quando eu as sensibilizo, elas resplandecem para a vida, porque passam a se dar conta de sua infinita capacidade. Seja essa pessoa um atleta, seja um empresário, ela poderá atingir o máximo daquilo que tem dentro de si.

EM: Para onde caminha a humanidade?

NC: Para o caos. A humanidade caminha para o caos. Porque está contrariando as leis básicas da vida, que são as leis da natureza. Todas essas usinas que estão sendo construídas na Amazônia, por exemplo, são uma tentativa de destruição primária daquela região. Nosso país tem um litoral tão grande, a energia das ondas, a energia dos ventos... Temos tanta criatividade, por que não usá-la? Por que buscar petróleo num lugar tão longe como a região pré-sal, se nem temos a certeza de sua viabilidade? Corremos até o risco de demorar tanto tempo para fazê-lo que, quando conseguirmos, possivelmente essa não será mais a melhor fonte energética do mundo.

Poderíamos estar mais à frente. Por que eu digo que estamos caminhando para o caos? Porque as pessoas não fazem as coisas que você fez, Eduardo. Não se consegue elevação espiritual apenas rezando. Não se consegue elevação espiritual alicerçado num corpo débil, incapaz de reparar as perdas inerentes à própria atividade diária. Então você fica mal-humorado, irritado, nem percebe que existe seu semelhante. Você recrudesce dentro de si esses sintomas, entorpece-se com essa maldição dos mercados, do mercantilismo, torna-se um indivíduo rude e pouco espiritualizado.

Não confunda o que digo com religião, que é uma forma organizada que a sociedade desenvolveu. Estou falando sobre espiritualidade, que não tem nada a ver com religião. Hoje, Eduardo, você é uma pessoa espiritualmente mais elevada. Não tem ideia do quanto mudou. Aliás, tem ideia, sim, porque também encanta as pessoas, não só os cavalos. Eu tenho certeza de que no seu ambiente de trabalho todo mundo se impressiona com uma pessoa que às cinco da manhã já está correndo, está vendo o sol nascer. É claro que espiritualmente você será diferente do outro que está na cama dormindo, que acorda mal-humorado. Ele não se alimentou das essências sagradas da vida que somente uma bela corrida ao clarear do dia fornece. Pessoas como você saem para a vida com aquele apetite de se dar, de amar, de ajudar, isso é espiritualidade. E isso só se consegue com o aperfeiçoamento do corpo físico. A pessoa eleva tanto o nível de saúde que explode para a vida.

Eu vejo que você é uma pessoa diferente da maioria. Em 90 dias, você ganhou outro corpo físico, outro corpo mental, outro corpo espiritual. Você chegou a um ápice tão grande, que vai oferecer toda a renda de seu livro para as instituições: isso é espiritualidade. E de onde vem isso? Vem de tentar dar uma oitava na barra durante seu exercício. Porque no dia que o Ayrton deu a primeira oitava dele na barra, ele saiu dali parecendo um semideus. Tanto é que, logo após ter dado sua primeira oitava na barra, no começo dos anos 1980, ele foi para Portugal e ganhou seu primeiro grande prêmio em Estoril, com um carro que estava previsto para chegar em décimo quarto lugar, mais ou menos. Ou seja, com um carro muito ruim, ele conseguiu o primeiro lugar, subiu ao lugar mais alto do pódio. A oitava permitiu a ele pensar em si como um semideus. Ele olhava os outros e dizia: "Coitados deles, eu é que não vou tirar o pé daqui do fundo do acelerador..." Ele me contava isso. E dizia: "Se eles não tirarem o pé, vamos bater, mas eu é que não tiro." Toda essa confiança, essa certeza, essa segurança, ele conquistou com o trabalho dele mesmo — na pista, correndo, nos exercícios da barra. Quem viu aquele Ayrton magrinho, raquítico, depois viu aquele Ayrton sarado, forte, mas sem musculatura artificial, e sim com uma musculatura inteligente, útil para se usar na vida prática, pôde perceber essa transformação.

Então se essa sociedade não se der conta de que precisa se espiritualizar, de que precisa fazer isso que seu livro incentiva as pessoas a fazerem, elas vão ter cada vez menos amor, solidariedade, espírito coletivo — e vão devastar cada vez mais o pouco que resta dos nossos rios, das nossas águas e das nossas florestas. E o que vai sobrar? O caos.

EM: Deus está dentro ou fora de nós?

NC: Veja bem, você agora está encontrando Deus. E esse Deus pode ser chamado de energia ou de qualquer outra coisa. Mas essa forma sublime esta lá dentro do seu íntimo, no mais sagrado, no mais profundo do seu coração. Se as pessoas não se encontram com elas mesmas, eu lhe pergunto, como vão encontrar Deus? Deus está dentro de cada um, esperando-os desde que nasceram, mas muitos vão morrer sem conhecê-Lo. Ele está lá dentro deles. É necessário que as pessoas explorem seu maravilhoso potencial. É por meio do trabalho com o organismo, aperfeiçoando todas as forças vitais, aperfeiçoando a mente e o espírito, interiorizando-se e utilizando o autoconhecimento, que o homem encontrará Deus.

EM: Na vida, o que mais importa: estar certo ou ser feliz?

NC: O mundo está todo errado porque as pessoas acham que estão certas. Olhe o caso de Israel e da Palestina. Enquanto Israel acreditar que está certo e a Palestina achar que está certa, eles vão ser infelizes. Porque estão querendo ter certeza de que estão certos, em vez de serem felizes. Quando as pessoas deixarem de se preocupar em estar certas e se ocuparem de cuidar mais de seu corpo e de sua saúde, passarão a ser mais felizes. E, quando forem felizes, pouco lhes importará estar certas ou não.

EM: Perguntei a Monty Roberts o que ele achava do fato de as pessoas que mais me influenciaram na vida terem mais de 70 anos. Por que você acredita que as pessoas que chegam a essa idade têm tanto a oferecer aos outros?

NC: Olhe a coisa bonita que você falou e perceba como você é uma pessoa singular. Você percebeu que, aos 70 anos, a pessoa atinge seu clímax. Eu sempre disse que a idade não existe e que ficar velho é uma opção. Eu podia estar velho já com 50 anos, parar de me movimentar. Porque nossa máquina, ao contrário das máquinas que o homem inventou, se desenvolve com o trabalho e se atrofia com o desuso. Então, quanto mais se usa essa máquina, melhor ela fica. É obvio que um rapaz de 30 anos é um ignorante total se comparado a um homem de 50. E o de 50 em relação a um de 60; e o de 60 em relação a um de 70.

Por quê? O que é a sabedoria? A sabedoria não é apenas o conhecimento. É a aplicação desse conhecimento. É fazer desse conhecimento algo útil para a felicidade, para a melhoria de vida. E o indivíduo nessa faixa maravilhosa da vida tem muito mais bagagem. Ele é, de certa forma, mais inteligente. Porque soma-se toda essa experiência ao alto nível de inteligência emocional que ele tem. E a inteligência emocional se vai adquirindo cada vez mais quanto mais avançada é a idade. É algo, então, que se desenvolve com a idade. Com o tempo, você passa a perceber que é besteira perder tempo em ter raiva, em ter ódio, em se irritar, porque você não está fazendo mal a outra pessoa, está causando mal a si mesmo. O outro nem sabe que você está com ódio dele. Então é uma estupidez. E a idade avançada vai dando isso — de maneira clara, retilínea, nítida. Então, é óbvio que fisiologicamente o indivíduo com mais idade é muito mais efetivo, conclusivo, prático, eficiente, inteligente do que alguém jovem, que faz trezentas "burradas" para conseguir um acerto. O mais velho errava também, mas errava muito menos, porque já errou bastante durante a vida para aprender o jeito certo. Foi errando tanto que aprendi algumas coisas.

EM: Quais as maiores virtudes e os maiores defeitos que você conseguiu observar em mim durante este tempo em que nos conhecemos? E o que você vê daqui para a frente no meu desenvolvimento?

NC: Quando paro para pensar nos poucos meses que se passaram desde que você começou o treinamento, eu me assusto. Mas acredito que o tempo seja relativo. Eu sinto até que nos conhecemos há muitas décadas. A sensação é diferente da do acontecimento. Estamos trabalhando há poucos meses, mas nossa relação é muito intensa. Nós caminhamos juntos.

Acho que sua maior virtude é a sua capacidade de inteligência emocional. Você é uma pessoa de uma inteligência emocional raríssima! De uma sensibilidade sublime, que fez de você o que você é. E se, em três meses, você ficou forte do jeito que ficou, faz o exercício nas barras do jeito que faz (como se já o fizesse há anos treinando comigo) e teve essa evolução incrível, é porque sabe também encantar, não cavalos, mas a si próprio. É isso que digo a todos: tentem encantar-se com vocês mesmos, tentem maravilhar-se consigo. Porque aí tudo fica bonito. Se esse é seu maior defeito (você se encantar com você), isso para mim é uma virtude (risos).

Você se encanta com a vida e tudo sorri ao seu redor. Tudo fica mais fácil. Porque a vida não foi criada para dar errado, a vida foi feita para dar certo. Para ter sucesso, para ter saúde. A natureza do homem é ter saúde, e, principalmente, ser feliz. E isso você está conseguindo. Seu futuro será decorrência do que faz hoje. Porque o futuro é hoje. Se hoje você está se cuidando, imagine como seu futuro vai ser brilhante. Acredito que nunca devemos planejar o futuro. Porque, como sempre fomos muito anulados, nosso inconsciente tem sempre uma negação da vida. E, se você se deixar levar pela vida, vai chegar a lugares que jamais sonharia poder chegar. Imagine o máximo do máximo. Você vai estar adiante desse máximo, com toda a certeza. Será o fruto natural da sua dedicação, do esmero que você tem com seu corpo, com sua vida. Então é uma vida que vai sorrir muito. E coisas fantásticas vão acontecer com você. Com certeza, com certeza!

EM: O que uma pessoa que não é seu aluno pode fazer desde já para incorporar o método Nuno Cobra em sua vida e ser mais saudável e feliz?

NC: O primeiro passo é a própria pessoa achar que ela vale a pena. Essa é a grande jogada. É sair da inércia. É achar que vale a pena investir em si próprio. Precisa achar que é importante, que merece tudo de bom. Isso é necessário porque os pais, verdadeiros catedráticos da anulação, com a escola, a sociedade e a religião anulam as pessoas; eles a "negativam" para a vida.

As pessoas até se tornam capazes de ajudar muitas outras, mas não são capazes de fazer coisas boas para elas mesmas. Então essa é a marca, esse é o "start". Achar que você merece, que você vale a pena! A partir daí, vai começar a fazer coisas boas para si — o que nada mais é do que cuidar melhor de si próprio. E, evidentemente, o sucesso, a saúde e a felicidade vão chegar, porque essa é a natureza do ser humano. É uma decorrência natural, não tem como não ocorrer. E, se sou feliz, é porque aprendi a cuidar do meu corpo, a desenvolver minha mente, a elevar meu espírito para amar as pessoas. Porque esta é a finalidade da vida: amar as pessoas. Quando você está amando, quando cuida dos outros, está, na verdade, cuidando de si, porque é muito gratificante amar. Mas, se você não amar a você mesmo, não vai ter nada: nem força, nem saúde, nem energia, nem vitalidade, nem disposição, nem vontade de amar seu semelhante. Porque você só pode dar o que tem nas mãos. Se na sua mão não tem nada, você não vai dar nada. Então, cuide de você. E então terá condição de cuidar de muita gente, principalmente daquelas pessoas queridas que o cercam.

Um beijo no coração de todos!

Setembro de 2011

Epílogo

O sucesso de *Encantadores de vidas*

Encantadores de vidas surgiu num momento único da minha vida. Um momento no qual curiosamente vários ciclos fechavam-se, enquanto outros novos, em sua maioria inesperados, nasciam.

O livro, todo ele, foi escrito em menos de um mês. Era como se já estivesse pronto, guardado em algum lugar de minha mente, e meu trabalho fosse somente o de trazê-lo à tona para o papel. Ao fim, quando terminei de escrevê-lo, fui correndo contar para alguns amigos que havia escrito uma obra e tinha a intenção de publicá-la.

As reações de meus amigos, porém, foram as que eu menos poderia esperar. Imaginava que fossem vibrar com a notícia. No entanto, a primeira reação foi questionarem quanto à forma: "Um livro não se escreve assim", diziam-me. A orientação de todo mundo era a de que eu não deveria seguir em frente, pois dificilmente um livro escrito daquela forma teria alguma chance de sucesso.

Eu, no entanto, achava que tinha um bom trabalho em minhas mãos, e que aquilo poderia tocar a vida de muitas pessoas, de diversas formas. Faltava-me, porém, algo que me desse a convicção que eu precisava para seguir em frente. Foi então que um fato no mínimo curioso aconteceu.

Era uma terça-feira, por volta de seis horas da manhã, e eu havia acabado de chegar ao parque do Ibirapuera para fazer meus exercícios rotineiros. Após alongar-me para começar os exercícios nas barras, uma amiga, com quem costumo encontrar e conversar durante os treinos, chegou caminhando e me saudou. "Olá, querido, como vai você esta manhã?" Seu bom humor e simpatia sempre me encantaram, e talvez sejam a fórmula para sua boa forma aos 82 anos de idade. Antes mesmo que eu pudesse responder, ela continuou "Eduardo, eu poderia declamar uma poesia para você esta manhã?". "É claro" — respondi —, "se te encontrar já é uma felicidade, ouvir então uma poesia neste amanhecer será um presente para meu dia". Ela então declamou:

"Se não houver frutos, valeu a beleza das flores
Se não houver flores, valeu a sombra das folhas
Se não houver folhas, valeu a intenção da semente."

E continuou:

"Esta é uma poesia de Henfil,
e hoje senti que você deveria ouvi-la."

Era isso! Era este o sinal que eu precisava ouvir. Pouco importava o que meus amigos achavam. Pouco importava se o livro seria ou não publicado. Menos ainda se seria ou não um sucesso. O que cabia a mim, então, era organizá-lo como livro e tentar. Tentar com intenção verdadeira, seguindo aquilo que meu coração mandava. Dali em diante, o que o futuro guardaria para mim era algo que eu não poderia controlar. A intenção da semente! Era com ela que eu deveria me preocupar.

Enviei meu livro, então, para uma famosa revisora de São Paulo, para que pudesse fazer as correções ortográficas pertinentes e me ajudasse a organizar a estrutura da obra. Não nos conhecíamos, eu havia pego seu contato com um amigo publicitário que a recomendou como uma das mais competentes de São Paulo, mas bastaram alguns dias para que desenvolvêssemos uma ótima relação. Ela havia ficado encantada com o texto. Disse-me que normalmente não se envolvia com as obras, pois tem uma agenda corrida de revisões a cumprir, o que deixa pouco tempo para mergulhar em conteúdo, mas que com *Encantadores de vidas* havia sido diferente. Já havia assistido a vídeos na internet sobre Monty Roberts e Nuno Cobra, lido mais informações sobre suas técnicas, e que as histórias que ilustravam o livro haviam feito com que ela repensasse várias de suas atitudes diante da vida.

Quando terminou sua revisão, disse-me: "Eduardo, seu livro é especial. Tenho certeza que irá tocar a vida de muita gente, e precisamos fazer com que chegue ao maior numero de pessoas possível. Sou inclusive dona de uma editora, e adoraria ter um livro como este para editar, mas seu livro é algo maior. Precisamos que uma das maiores editoras do país pegue o livro, ele tem todas as condições de se tornar um sucesso de vendas."

Eu então lhe disse que não conhecia absolutamente nada do mercado editorial brasileiro, e pedi que me orientasse sobre como seguir adiante. Ela então respondeu: "Eu tenho um contato na editora Record, a maior do país e também da América Latina. O contato, porém, é o da diretora editorial da empresa, e tenho apenas seu endereço eletrônico". Esta era minha simples tarefa: enviar um e-mail para a diretora editorial da maior editora do país, sem indicação alguma, torcer para que ela lesse a mensagem de um autor novato e desconhecido, se interessasse pelo conteúdo de sua obra e me retornasse. Com as editoras responsáveis pela análise das centenas de obras que recebem diariamente, minha tarefa já seria difícil, imaginem então com a diretora da empresa, uma das pessoas mais influentes e ocupadas do mercado editorial brasileiro. Mas aquelas palavras ouvidas durante meus exercícios pela manhã não saíam da minha cabeça "... se não houver folhas, valeu a intenção da semente". Era nela que eu deveria seguir focando, na semente.

Sentei em frente ao computador e comecei a escrever a mensagem que deveria em poucas linhas passar tudo o que eu achava sobre aquela obra. Deveria ser um texto pequeno o suficiente para que ao abrir não a assustasse, mas também longo e interessante o bastante para transmitir os motivos pelos quais ela deveria ler a obra. Após cerca de meia hora o texto estava pronto, e restou-me então enviá-lo e torcer pelo melhor.

Cerca de dez dias após ter enviado o texto, recebi uma reposta por correio eletrônico, onde a diretora da editora me respondia pessoalmente dizendo que havia se interessado muito pelo o que meu e-mail dizia, que precisava de três meses para ler e avaliar meu texto e depois me retornaria com algum tipo de comentário. Aquilo era incrível, difícil de acreditar. Tinha dado certo! E em apenas três meses eu teria uma resposta. Normalmente provas de livros demoram anos até serem lidas, e as chances de tê-las publicadas são na maioria das vezes remotas. Eu havia conseguido, sem ser conhecido no meio editorial, ter uma das mais influentes profissionais do setor avaliando minha obra num prazo curtíssimo.

Eu não imaginava, porém, que o que se seguiria seria ainda mais surpreendente. Uma semana após ter recebido seu e-mail, numa sexta-feira, recebi um telefonema em meu celular. O número que aparecia no visor mostrava que a ligação vinha do Rio de Janeiro. Ao atender, a pessoa do outro lado da linha falou: "Olá, Eduardo, sou a assistente da diretora editorial da Editora Record, e ela gostaria de marcar uma reunião com você para a próxima segunda-feira aí em São Paulo."Aquilo não podia ser verdade. A diretora editorial da maior editora da América Latina viajaria para encontrar-me e para falar sobre meu livro? Será que ela já havia lido a obra? Sobre o que seria a reunião? Marcamos, então, um horário para nos encontrarmos em meu escritório. Era segunda-feira quando recebi a visita de Luciana Villas-Boas, então diretora editorial da Editora Record. Luciana é uma mulher inspiradora. Muito bonita, chique, culta e capaz em poucos minutos de passar segurança e confiança. Após alguns minutos de conversa, ela me disse: "Eduardo, após ler seu e-mail, fiquei curiosa sobre o conteúdo de sua obra. Uma tarde, num momento mais tranquilo, resolvi folhear as primeiras páginas para ter uma ideia do texto. Confesso que naquela mesma tarde não consegui parar de ler seu livro e fiquei encantada! Temos de publicá-lo, e vamos fazer isso já!" Uau!! Eu não podia acreditar no que estava ouvindo! A semente havia dado frutos. Meu livro seria publicado pela maior editora do Brasil! Antes, porém, de concluir a conversa, disse a Luciana: "A única condição que tenho para que o livro seja publicado, é a de que os recursos aos quais eu teria direito como autor sejam integralmente doados. Peço isso por dois motivos. Em primeiro lugar, não seria justo ter a sorte de me tornar tão próximo de duas pessoas tão especiais como Monty e Nuno, absorver seus conhecimentos, e ao passá-los adiante colher os frutos para mim. Em segundo lugar, aprendi com Monty Roberts que o único presente que podemos dar aos outros nesta vida é nosso tempo, e gostaria de dedicar o tempo que usei para escrever esse livro como o presente que deixarei em vida para os outros. É o que tenho de melhor para deixar como legado para meus filhos e para as pessoas." Ela aceitou as condições e em poucos meses *Encantadores de vidas* foi lançado como uma das maiores apostas do mercado editorial brasileiro para o ano de 2012, numa tiragem recorde em sua primeira edição.

As coisas, porém, não seriam tão fáceis como esta sequência de eventos levariam a crer. Algumas semanas após ter lançado o livro, as vendas não decolavam. A editora investia em propaganda, as pessoas que liam o livro se encantavam, mas faltava alguma coisa que o fizesse estourar. O problema é que nem a editora, nem as livrarias podiam esperar muito tempo até que meu livro se tornasse um sucesso. A empolgação de ambos tinha prazo de validade, e claramente este prazo se aproximava. As vitrines já não exibiam mais meu livro, as campanhas de marketing tinham outros lançamentos para focar, e era difícil imaginar algo que fosse capaz de reverter aquela situação. Eu precisava de um fato novo.

Foi quando decidi lançar meu livro em Belo Horizonte. Tinha certeza de que seria um sucesso. Afinal de contas, Belo Horizonte era a cidade da família por parte de minha mãe, da mãe de meus filhos, onde colecionei amigos durante toda uma vida. Era também onde eu havia feito uma das mais bem-sucedidas apresentações com Monty Roberts, e portanto, onde havia me tornado conhecido no meio equestre. Era aquele o fato novo de que eu precisava. Ali o livro iria decolar. Convenci a editora da importância desse lançamento, e ela cuidou de toda a divulgação do evento. Na sexta feira, data marcada para o lançamento, cheguei à maior livraria da cidade e me encaminhei ao seu auditório para fazer minha palestra. Quando lá cheguei tive uma surpresa. No horário marcado para a palestra, num espaço onde imaginei ter cerca de 200 pessoas me aguardando, havia apenas uma pessoa. Foi uma das piores sensações de minha vida. Estaria mentindo se não dissesse que me senti constrangido, e até certo ponto humilhado. Estavam lá comigo meus tios, que haviam me levado à livraria, e o representante da editora. Tentei manter a calma e esperar mais um pouco para ver se mais pessoas chegariam. Ao todo conseguimos reunir cinco pessoas. Fui então para o canto da sala, fechei os olhos e pensei sobre o que estava passando. Parecia realmente o fim de um sonho. Um fracasso com o qual teria de aprender a lidar. Um sucesso que quase havia acontecido. Uma coisa, porém, me parecia injusta. Aquelas pessoas que lá estavam não tinham nada a ver com isso. Elas estavam ali para ter o melhor de mim. E era minha obrigação presenteá-las com o que eu tinha de melhor. Reuni forças, lembrei de me preocupar sempre com a intenção da semente e fiz a melhor palestra que poderia. Durante quase duas horas contei de forma vibrante e apaixonada a história que ilustrava as páginas de *Encantadores de vidas*. Parecia quase a despedida de um sonho.

Uma semana após a palestra em Belo Horizonte, um telefonema viria novamente mudar os rumos da minha vida. Era já de noite e o telefone tocou em minha casa. Do outro lado da linha uma voz falava em inglês. Era Monty Roberts, ligando-me de sua residência na Califórnia. Após alguns minutos de conversa, Monty disse-me: "Eduardo, você sabe que há mais de vinte anos eu viajo o mundo a pedido da Rainha Elizabeth II da Inglaterra, divulgando a mensagem de não violência e ensinando meu método para as pessoas. Em minha última conversa com Vossa Majestade, ela decidiu condecorar as pessoas que mais contribuíram nos últimos anos para eliminar a violência no treinamento de cavalos, e, portanto, torná-las exemplos para todo o mundo. Uma condecoração inédita. Entre elas estão Adolfo Cambiaso, considerado o maior jogador de Polo de todos os tempos. Estão também Memo e Carlos Gracida, os irmãos mais premiados e bem-sucedidos deste mesmo esporte em toda a história. A lista ainda conta com Joel Baker, que integrou a seleção americana de Polo, e Satesh Semar, responsável pelas instalações equestres do Sheik de Dubai. Mas a lista não para por aí. Você já ouviu falar de Eduardo Moreira? Pois bem, prepare-se, dia 24 de junho, daqui a duas semanas, você será o primeiro brasileiro a receber esta condecoração da Rainha da Inglaterra, diretamente das mãos dela, no Castelo de Windsor, na Inglaterra."

    A essa altura eu já estava sentado em minha cama, atônito, sem acreditar no que ouvia. Aonde o tombo daquela égua havia me levado! Eu seria condecorado pela maior personalidade viva de nossa época. Parecia um sonho. Um conto de fadas real.

    Dia 22 de junho cheguei à Inglaterra para a viagem que marcaria para sempre minha vida. Já na chegada, uma das cenas mais surreais. O guarda responsável pela imigração me perguntou "Quem o senhor está aqui para ver?" "A Rainha", respondi. Ele então levantou o olhar, me fitou com um ar de incredulidade e apreensão e disse: "Que motivo leva o senhor a encontrar Vossa Majestade?". Então expliquei os motivos, e após mostrar o convite para a condecoração e uma notícia impressa que estampava meu nome, ele me deixou passar, vendo que eu não era um lunático.

Dia 24 o conto de fadas se tornou real. Nos campos de polo do Castelo de Windsor, diante de centenas de pessoas, fui condecorado pela Rainha Elizabeth II, enquanto centenas de pessoas ouviam os alto-falantes contarem a história de minha vida, e aplaudiam de pé aquele momento. A Rainha, de forma meiga e carinhosa, parabenizou-me pela coragem e sucesso por tudo o que havia feito ao longo dos últimos anos e pediu que eu continuasse esse trabalho. Presenteei-a com uma cópia de *Encantadores de Vidas*, e após contar um pouco da história do livro, Vossa Majestade ficou encantada e me congratulou pela obra. Tudo aquilo era incrível, realmente difícil de acreditar. Parecia estar dentro de um sonho, e durante alguns dias fiquei com uma sensação esquisita, duvidando se aquilo havia realmente acontecido ou se havia sido obra de minha imaginação.

Voltei ao Brasil com a condecoração e várias fotos e vídeos do evento. Na semana seguinte, uma das revistas de maior circulação no Brasil divulgou as fotos e pessoas em todo o país ficaram sabendo do ocorrido. Passei a receber muitas ligações, e pequenas notas continuavam a sair em diversos veículos de mídia exaltando o brasileiro que havia recebido a comenda de forma inédita da monarca inglesa.

A editora então me ligou e disse que o programa de maior audiência das manhãs na TV brasileira queria fazer uma entrevista ao vivo comigo. Aquilo tornaria meu trabalho e meu livro conhecidos em todo o Brasil, e era tudo o que precisávamos para finalmente fazer o livro decolar. Eu não poderia falhar, tinha de apresentar-me de forma satisfatória, pois dificilmente haveria outra chance como aquela. Viajei para o Rio de Janeiro, onde ficam os estúdios do programa, e no horário combinado estava lá, pronto para gravar a entrevista. Seriam incríveis 8 minutos no ar, sem cortes ou comerciais, veiculados em todo o Brasil, para cerca de cinco milhões de aparelhos de televisão, ou mais de 10 milhões de telespectadores.

A entrevista começou e, de forma inédita, a entrevistadora resolveu explorar não a doma que eu fazia dos cavalos, mas o que aquilo representava como exemplo para a vida das pessoas. A entrevista que sempre sonhei em dar. Exatamente o tema de *Encantadores de vidas*. Eu estava pronto para responder sobre aquilo. Aliás, sobre este assunto eu sempre estive pronto, desde meus primeiros dias no curso de Monty Roberts. Afinal, era exatamente essa a ótica que havia me atraído no método.

A entrevista foi fantástica. Tão incrível que ao término dos oito minutos previstos a entrevistadora continuou com as perguntas e as matérias previstas para entrar no ar em seguida foram caindo. Com uma simpatia e inteligência cativantes, suas perguntas conseguiam extrair mensagens fortes e transformadoras das minhas respostas. Fiquei no ar durante 35 minutos, no principal canal de televisão brasileiro, sem interrupções ou cortes comerciais. E durante todo o tempo a entrevistadora mostrava o livro e dizia-se encantada com o que estava ouvindo. Após o programa, a produção me disse que não se lembrava de um entrevistado, por mais famoso ou importante que fosse, que havia tido esse tempo, sem cortes, em rede nacional.

O resultado foi arrebatador. Naquele dia o estoque de quase todas as lojas que vendiam *Encantadores de vidas* terminou. Sem ter divulgado contato algum no programa, passei a receber cerca de mil mensagens por dia, de pessoas que de alguma forma conseguiam um meio de me contatar.

Curiosamente, na semana seguinte eu tinha uma palestra marcada em Belo Horizonte, apenas um mês e meio após minha última passagem pela cidade — aquela na qual apenas uma pessoa apenas havia comparecido. A palestra agora seria num sábado de manhã, às 10h30, num parque de exposições longe dos bairros nobres da capital mineira. Em tese um lugar e horário muito menos atraentes para uma palestra do que a última. No entanto, na hora marcada o auditório, com capacidade para 150 pessoas sentadas, estava completamente lotado, com mais de 200 pessoas presentes. Cerca de outras 50 estavam do lado de fora esperando para ouvir o que seria falado ali. Comecei a palestra e contei que havia estado um mês atrás em Belo Horizonte e que tinha sido recebido por apenas uma pessoa. Mas que havia ali dado o meu melhor. E que então, naquela manhã, eu tinha uma notícia incrível para compartilhar com eles. Eu acabara de saber que meu livro havia se tornado o livro mais vendido de todo o Brasil, liderando todas as listas de livros mais vendidos do país. Imediatamente um espectador da primeira fileira se levantou emocionado e me interrompeu aplaudindo o que ouvia. Uma a uma, as duzentas pessoas foram se levantando e por alguns minutos aplaudiram também emocionadas o que acabavam de ouvir. Pela primeira vez em toda a vida faltaram-me palavras e fui tomado por uma emoção avassaladora em público.

Meu livro permaneceu em primeiro lugar nas listas por várias semanas. Tive a honra de participar da Bienal de São Paulo, a maior da América Latina, como o autor nacional mais vendido do momento. Entre todos os de meu país. Do dia em que escrevi a primeira letra de meu livro até ele ter sido lançado e se tornar o livro mais vendido do Brasil decorreram-se cerca de 10 meses. Um livro de um autor desconhecido e novato. Algo inédito não só no Brasil, mas em todo o mundo, me disseram vários profissionais da área.

Todos estes acontecimentos, somados aos anos anteriores que ilustram este livro, tiveram um significado simbólico muito importante para mim, e deles pude tirar algumas lições valiosas.

Os últimos três anos foram muito divertidos. Divertidos, mas também duros. Ao voltar para o Brasil em agosto de 2009, após o curso que fiz com Monty Roberts, e decidir que doaria parte de meu tempo para aprender e divulgar suas técnicas pelo país, enfrentei um caminho cheio de obstáculos. E o primeiro deles fui eu mesmo. Eu não sabia nada sobre cavalos. Não tinha tempo para praticar a técnica. Não tinha cavalos com os quais praticá-la. E não tinha ninguém para estar ao meu lado me ensinando e corrigindo. Acho que se transportarmos esta situação para qualquer outra realidade fica fácil entender como era difícil... Imagine alguém com 36 anos que quer ser físico nuclear. Se formou em artes cênicas. Tem um dia por semana apenas para ler sobre um assunto que nunca teve contato antes na vida e resolve viajar o país aceitando desafios de problemas feitos pelos cientistas das mais diversas universidades do país... Era mais ou menos isso. Ou seja, as probabilidades jogavam 100% contra. Mas aprendi que a vida não é um jogo de probabilidades. É um jogo de amor pelo que se faz. Em menos de três anos viajei quase todo o Brasil, domei centenas de cavalos diante de milhares de pessoas, e hoje sou considerado um dos maiores domadores de cavalos do país. Saiu daí a primeira lição: somos capazes de começar algo novo a qualquer momento e chegar tão longe como qualquer outro chegou. Esqueçam as estatísticas, façam o que gostam e façam com amor. Acreditem em vocês e no método. Não façam planos. Planos se basearão em estatísticas, e a matemática pode te provar que você nunca vai chegar lá. A verdade é que você sempre pode chegar.

A segunda lição foi saber lidar com as críticas e seguir em frente. Ao longo destes últimos meses recebi milhares de mensagens lindas, de pessoas próximas ou com as quais nunca havia tido contato, me parabenizando pelos feitos recentes e dizendo como aquilo as havia feito sentir orgulho de serem brasileiras. Mas não foi assim ao longo dos três últimos anos... Fui taxado de tudo. Louco, farsante, aproveitador de Monty Roberts, aparecido e ingênuo. Muitos, ao verem o sócio de um grande grupo financeiro vestindo um cinto de fivela, chapéu e botas de cowboy, comentavam como aquilo era ridículo. "Esse Eduardo parece um palhaço..."; "Não acredito que não tenha vergonha de andar assim..."; "Por favor, alguém faça alguma coisa e converse com ele para ver se ele se toca...". Mas eu estava feliz, e soube não perder o foco. De repente, a maior personalidade viva de nosso tempo, aquela que mais história viveu ocupando um cargo de chefe de Estado em todo o mundo, me convida para condecorar exatamente esses três anos. Logo ela não achava que minhas roupas eram de palhaço. Que eu era um aproveitador. Que minhas intenções eram ruins.

Meu livro se tornou um sucesso de vendas, o mais vendido em todo o Brasil. Alcançou o primeiro lugar em todas as listas. Foi o suficiente para todos mudarem suas opiniões, ou pelo menos para escondê-las. *Nec Majore in Laude, Nec Minor in Vituperio*. Não era pior por causa das críticas nem passei a ser melhor depois por causa da condecoração da Rainha, ou pelas vendas de meu livro, continuei sendo quem sempre havia sido. Deem menos peso para o que os outros falam ou pensam. Eles agem assim porque de alguma forma o que você faz chamou sua atenção. Seja porque gostariam de fazer também algo novo com suas vidas e não têm coragem, ou porque têm medo de onde você pode chegar. Porque se você ou seu exemplo não tivessem importância alguma em suas vidas, porque perderiam seu tempo comentando? Sigam em frente, sempre. Lembrando que para se chegar onde ninguém chegou é preciso fazer o que ninguém fez, e isto, é claro, vai gerar desconforto e insegurança nos outros.

A terceira e última lição é a de que sorte não é o que acontece conosco. É o que fazemos com o que acontece conosco... A sequência de acontecimentos que me levou até a Rainha, à televisão, e ajudaram meu livro a ter sucesso, é cheia de acidentes, obstáculos, julgamentos, e tantos outros momentos difíceis. Aproveitei cada um deles para conhecer novas pessoas, aprender, me aperfeiçoar física e mentalmente, e também para conhecer quem eu realmente era. As pessoas hoje olham pra mim e falam "nossa, você é muito sortudo, nada deu errado pra você?". Eu acho que na verdade o que eu fiz com as coisas que me aconteceram é que deu muito certo. Não vamos nos esquecer de que tudo começou com um tombo...

*O texto deste livro foi composto em
Minion Pro Regular, em corpo 12/17.*

A impressão se deu sobre papel off-set 56g/m² pelo Sistema Cameron da Divisão Gráfica da Distribuidora Record.